Martin-Aike Almstedt

Das Eine,
das Andere
und das Andersandere

autobiographische Reflektionen
angesichts des Rechtswahns
im Spiegel matriarchaler Prinzipien

Impressum

© 2020 Martin-Aike Almstedt
Herausgeber: Hartmut Büscher
Autor: Martin-Aike Almstedt
Umschlaggestaltung, Illustration: Hartmut Büscher, Henning Loeschke
Verlag & Druck: tredition GmbH, Halenreie 40-44, 22359 Hamburg

ISBN:
978-3-347-10737-3 (Paperback)
978-3-347-10738-0 (Hardcover)
978-3-347-10739-7 (e-Book

Bibliografische Information der Deutschen Nationalbibliothek:
Die Deutsche Nationalbibliothek verzeichnet diese Publikation in der
Deutschen Nationalbibliografie; detaillierte bibliografische Daten sind
im Internet über http://dnb.d-nb.de abrufbar.

Abbildung auf der Titelseite: Gemälde von Henning Loeschcke
(ohne Titel, mit Genehmigung des Malers)

Martin-Aike Almstedt

studierte Komposition bei Gunter Lege (Hannover), Musikwissenschaft, Kirchenmusik und Philosophie in Göttingen und Hannover und war über Jahre Hörer bei Karl Jaspers in Basel und Jiddu Krishnamurti in Saanen (Schweiz).

Weitere mehrjährige Kompositions-Studien schlossen sich in Darmstadt bei Karlheinz Stockhausen und György Ligeti sowie bei Olivier Messiaen Paris an. Bei Erhard Karkoschka studierte er in Stuttgart Notationskunde und nahm ferner - wiederum in Darmstadt - an Perkussionskursen von Christoph Caskel teil.

Seine erste Yogaausbildung erhielt er in der Ananda-Marga-Gruppe durch den Inder Karunananda. Von 1980 bis 1985 nahm er an den Seminaren von Jiddu Krishnamurti in Saanen / Schweiz teil und konnte in diesem Zusammenhang auch seine Yogakenntnisse und Fähigkeiten durch den zu dieser Zeit dort lehrenden indischen Yogalehrer Ravakan weiter entfalten. Seine Ausbildung als Heiler erfolgte durch den philippinischen Medium-Therapeuten und Bischof Benjamin Pajarillo, der ihm diese Ausbildung mit dem Certifikate of Authority als Medium Healer sowie als Reverend und Minister der Church of Christian Spiritists bestätigte.

Martin-Aike Almstedt ist schöpferisch tätig als Komponist, Pianist, Organist, Schriftsteller und Ki-Yoga-Lehrer.

160 Werke aller Gattungen vom Solostück bis hin zum Oratorium, der Oper, dem Intermedialwerk und dem Musikfilm sind bisher Frucht seiner kompositorischen Arbeit.

Sein schriftstellerisches Werk umfasst neben kompositions- und musikästhetischen Schriften bisher 16 bewusstseinsphilosophische Bücher, - u.a. vergleichende Studien über Karl Jaspers und Jiddu Krishnamurti -,ferner Gedichte, Konzert-Einführungsvorträge, sowie Texte und Vorträge zu dem von ihm über 40 Jahre entwickelten Ki-Yoga.

Gegenwärtig liegt seine Hauptarbeit als Schriftsteller im Bereich der Bewusstseinsphilosophie, deren empirische Basis seine KiYO-Praxis ist.

Inhalt

I

Staatsmacht

die Rettung

Abschnitt 3
Weitere Kräftigung - geistig, seelisch,   119
körperlich

Vorwort

Dieses Buch verdankt sich ursprünglich dem Schock, den ich durch das erneute Aufkommen brauner Ideologie und Praxis in Deutschland zusammen mit vielen anderen Menschen erleide. Nach dem Krieg glaubte ich, es sei endgültig mit dem Nazitum vorbei. Aber nein: Nach vielen neuen braunen Ansätzen - wie z. B. der NPD - schafft es heute die AFD wieder, Menschen hinter sich zu bringen, die nicht grün oder rot, schwarz oder gelb, sondern braun wählen. Das ist entsetzlich. Da ich mich an die Nazizeit, die vor 86 Jahren begann, in ihrem schrecklichen Endstadium sehr gut erinnere, retraumatisiert mich und zweifellos auch andere Menschen das gegenwärtige braune Denken und Handeln.

Das Erstarken der „BP" erinnert mich nicht nur an das entmenschte Morden wie in Babyn Jar und Auschwitz. Dieses ist für Deutschland mit seiner mörderischen Vergangenheit eine weltweite Riesenschande.

Wie ist es möglich, frage ich mich, dass nach den Erfahrungen mit dem menschheitsgeschichtlich Grauenhaftesten, das sich in Deutschland ereignete, viele Menschen wieder eine braune Partei wählen, die „BP", wie sie sich ehrlich nennen sollte, denn Alternatives ist an dieser rückwärts ins faschistische braune Lager gerichteten Partei nun wirklich nicht zu entdecken.

Über die geläufigen Antworten auf die Frage hinausgehend, warum Menschen diesem Wahnsinn wieder zustimmen, versuche ich, vertieft Gründe dafür zu finden, und komme dabei auf das Phänomen unrelativierbarer faschistischer Ideologien verschiedenster Art. Dabei geht es nicht um politische, soziologische, überhaupt wissenschaftliche Untersuchungen, die meine Aus--führungen vermutlich in vielem bestätigen, aber auch widersprechen und dazu Ergänzungsbedürftiges feststellen können. Dabei gilt letzteres vor allem hinsichtlich der Differenz zwischen dem hier fixierten persönlich Erlebten und den fortlaufenden gesellschaftlichen Veränderungen. Insofern ist dieses Buch an einigen Stellen schon beinahe ein historisches, dabei jedoch auch ein bleibend aktuelles hinsichtlich des roten Fadens einer inneren Befreiung, die meines Erachtens das Potenzial hat, im Sinne des pars pro toto zu gelten, was heutzutage immer weniger utopisch anmuten dürfte.

Worin besteht dieser rote Faden? In der Reform des Beziehungsgefüges zwischen dem weiblichen und dem männlichen Prinzip alias in der Frau/Mann-Diade. Diese auf das weibliche Prinzip zu zentrieren und damit dessen patriarchale Verzerrungen zu negieren bedeutet, diesen Beziehungstypus vom Kopf auf die Füße zu stellen und den natürlichen Gegebenheiten zur Wirksamkeit zu verhelfen.

Was ist mit patriarchalen Verzerrungen des weiblichen Prinzips gemeint?

Das patriarchal schlecht Bestehende ist vor allem in Form von Ideologien wie die blutig todbringenden, ja weltvernichtenden gegeben. Dazu gehören vor allem die Naziideologie oder die marxistisch-stalinistische, die bis in die maoistische reicht. Aber auch die kirchliche u.a. als Krieg verursachende, Frauen und Sexualität unterdrückende, im Mittelalter und auch noch später sogar mordende Ideologie, ferner die bildungspolitische Ideologie - besonders hinsichtlich der Schulpraxis -, oder die alles überwölbende kapitalistische Ideologie. Aber auch die Paraformen wie Moden und Rollen gehören mit Abstrichen dazu. All das wird vom materpaklitistischen Denken, Wahrnehmen, Fühlen und Empfinden her durchdrungen und in grundlegend lebenfördernd matriarchales Bewusstsein verwandelt.

Das scheinbar ausweglose Rotieren im ideologisch *Einen* wird dabei von der weiblich zentrierten (materpaklitistischen) Diade ausgehend dialektisch ins *Andere* geworfen, in dem sich männliches Denken, Fühlen und Empfinden durch weibliches relativiert und korrigiert.

Das ist schon viel, aber das Ergebnis ist unsicher, solange der nächste und wichtigste Schritt fehlt: Der existenziell dialektische, als Eintauchen in das *Andersandere*, die Sphäre aller Heilung.

Dass zum *Anderen* und besonders zum *Andersanderen* die Nacktheit des Wahren gehört, zeigt sich in diesem Buch nicht nur dadurch, dass alle patriarchal titeltragenden Personen, die in diesem Text auftauchen, immer ohne das Schutzschild ihres Titels genannt werden, sondern besonders auch darin, dass ich nur aus eigenem autobiographischen Erleben, alternativem Denken und den Reifestufen meines Bewusstseins schreibe.

Teil 1   Das Eine

Kapitel 1

1. Kindheitserinnerungen

Wenn ich als Kind durch die Lange Geismarstraße in Göttingen ging, um von Frau Renzihausen oder von Frau Schreiber Milch aus ihrer großen Aluminiumkanne unter dem Holztresen in meine emaillierte Ein-Liter-Blechkanne per Hand pumpen zu lassen, sah ich unterwegs immer wieder verkrüppelte Menschen. Zumeist waren es einbeinige Männer auf Krücken. Gelegentlich kam jedoch auch einer ganz ohne Beine, auf einem Brett mit Bollerwagenrädern, mit den Händen auf dem Steinpflaster sich immer wieder ruckartig voran stoßend, an mir vorbei gerollt. Wie andere sammelte auch er Zigarettenkippen, um sich mit dem Rest-Tabak daraus wild aussehende Rauchstengel des Trostes mit Hilfe von Zeitungspapier zu drehen. - Ach ja, die Mutter, das verlorene Paradies.

An den Häuserwänden zickzackten noch immer schwarz gemalte, nach unten gerichtete Pfeile, die schutzbietende Bunker anzeigten. Auch am Haus meiner Eltern waren solche Pfeile zu sehen, und oft hörte ich meine Tanten sagen, dass unser 20 Steinstufen tief liegender Gewölbekeller bombensicher sei. „Das hoffen wir jedenfalls", flüsterten sie dann.

Immerhin, es gab wieder Milch. Im Krieg und auch noch später suchten meine Mutter und ich unsere Nahrung im Hainberg, unserem Stadtwald: Bucheckern, Brennnesseln, Löwenzahn, Himbeeren, Pilze, und was wir sonst noch fanden. Dazu kam zum Heizen und Kochen Fallholz vom Waldboden. Die Bucheckern waren das Wichtigste, denn daraus ließen sich kleine schmackhafte Fladen backen, oder es diente das aus ihnen gepresste Öl zum Braten von Waldgemüsen.

Viel war das nicht im Hunger-Frühling des Jahres 1945 und davor, aber es war im Rückblick frisch, fleischlos und von daher auch gesund im Gegensatz zu Vielem in der heutigen Zeit des Fleisch-, Konsum- und Konservierungswahns, wo Veggiday-Befürworter verhöhnt, ja sogar mit dem Leben bedroht werden und die Grünen sich plötzlich als Verbotspartei gebrandmarkt sehen.

Man musste sich zwar arg einschränken, aber wirklich schlimm war anderes: Zum Beispiel das regelmäßig den ganzen Körper durchzitternde Sirenengeheul, gefolgt vom entsetzlichen Motorengedröhn am Himmel, die rücksichtslose Hast, in einen Bunker zu gelangen, das Stolpern, das Krachen der Bomben, die Todesangst in völliger Bunkerdunkelheit.

Wenige Jahre später kamen dann die ersten Heimkehrer: auch meine über Jahre - wie ich später erfuhr - in russischer Kriegsgefangenschaft tausendfach vergewaltigte Tante Traudel, die immer ungreifbar lächelnd über dem Boden schwebte. Ich mochte sie deshalb gerne. Warum, ja warum? Alles war einfach furchtbar: Buchenwald- und Auschwitzgeflüster. Auch vom seitens meiner Tante Ulla miterlebten Untergang der Wilhelm Gustloff hörten wir einiges, und nicht weniger von der Flucht und dem Sterben dabei. Immer wieder Tod, Elend, auch Trauer um die verlorene Heimat. Wir Kinder hörten das durch verschlossene Türen, spürten das entsetzliche Leid sogar durch Wände und natürlich auch durch die allgemein aufgesetzten fröhlichen Masken der Menschen um uns herum, der Masken, durch die unentwegt leise das Grauen sprach.

Ein paar Jahre später schlug die Schule mittels meist kriegsverletzter, mit Rohrstöcken schlagender Lehrer in meine Kindheitsseele. Zwei sich in allen meinen Zellen verankernden Schulfilme über die Auschwitz-Befreiung und Babyn Jar brachten allerdings den unkurierbaren Tiefschlag. Schockstarre legte sich über uns Kinder, als wir die Leichenberge sahen, die mit Schaufelbaggern zusammengeschoben wurden. Und dann das beinahe noch größere Entsetzen: Babyn Jar, wo viele tausende zwangsentkleidete, völlig nackte Menschen, Frauen, Männer und Kinder von deutschen Männern, Nazis, totgeprügelt und erschossen wurden. Das Entsetzen in den Augen, die Scham, die Qual, das Blut, das Schreien fuhren in mich, keine Zelle blieb unberührt, wurde zu meinem eigenen Schreien, das qualvoll stecken blieb - irgendwie bis heute unerlöst.

Durch in den Klassenraum gebrüllte Worte wie „look"
oder „guck hin" waren wir gezwungen, die Augen offen
zu halten. Einige Lehrer weinten. An Flucht war nicht zu
denken: Bewaffnete GIs standen vor der Klassentür und
bewachten die von amerikanischer Seite verordnete
Kur. Die Hölle war da und kroch durchs Klassenzimmer.
Inmitten der Stadt hatte sie sich in den Schulen
seelenfressend festgesetzt. Das entmenschte Film-
Erlebnis trieb mich über Tage in den Hainberg.
Wahrscheinlich suchte ich dort Trost, gar Heilung; nicht
bei den Menschen - wozu die imstande waren, hatte
ich gesehen -, nein bei den Tieren im Gras zwischen
Bäumen, im Wald, der uns in Kriegszeiten und noch
danach ernährt hatte. Ich wollte kein Mensch mehr
sein. Das war der Augenblick, in dem ich unwie-
derbringlich zum unvereinnahmbaren Einzelgänger
wurde.

2. Naziphrasen und Verbrechen

Über all das und noch viel mehr sind aus unterschiedlichen Perspektiven viele Bücher geschrieben
worden: historische, psychologische, philosophische,
Romane, Gedichte; es wurden auch Filme darüber
gedreht und in die Welt gesetzt. Wir wissen das alles,
und es muss dem nicht weiter nachgegangen werden.
Hier geht es um einen persönlichen Erlebnisbericht.

Als Kind bereits tröstete ich mich mit dem Gedanken: Hitler ist gottseidank tot, der Krieg ist gottseidank verloren, und so etwas wie die Nazizeit kommt nie wieder. Aus diesem Entsetzen haben sicher alle Deutschen unumkehrbar gelernt. Wie sollte es auch anders sein, denn jede Katze, die sich einmal die Pfoten verbrannt hat, tut das nicht ein zweites Mal.

Aber nein, bei Menschen mit ihren verfluchten Ideologien ist das anders: Die alten Naziphrasen, die so viele zu Unmenschen, ja zu Mördern gemacht hatten, die die Wurzel des Krieges und von Auschwitz, Babyn Jar waren und - wovon ich erst im Erwachsenenalter erfuhr - vielen anderen Großverbrechen, wie z. B. die Ermordung der Bevölkerung in St. Petersburg (damals Leningrad) durch Aushungern, diese Phrasen sind heute wieder en vogue. Und das, obwohl so viele pazifistisch und demokratisch denkende Menschen auch in Deutschland - nicht zuletzt mein Großonkel Herman Sudermann besonders mit seinem Theaterstück „Die Ehre" – in vielen Schriften bereits vor und während der Hitlerzeit eindringlich zeigten, wohin die Schreckens-reise geht, die dann in aller Wirklichkeit bis zum Untergang des sogenannten dritten Reichs auch stattfand.

Mit solchen naziideologisch aufgeladenen Phrasen ködern die heutigen äußersten Rechten bzw. Neonazis erneut Menschen: Männer, deren Väter und Großväter zu Mördern oder auch Opfern wurden und elend verreckten und leider auch Frauen, obwohl deren Mütter und Großmütter damals oft als vielfach Vergewaltigte auf ihre Männer angstvoll warteten, immer wieder nach Friedland in banger Hoffnung hin zu den Heimkehrertransporten fuhren - mit meinen Freunden Erhard und Volker habe ich das oft miterlebt - , bis diese Frauen nicht mehr konnten, und sich neu liierten. Aber dann kamen einige der vermissten Männer doch zurück, nicht selten als Krüppel, als Kranke und schwer Gestörte, ja als Verrückte. Welche Freude, welch ein Entsetzen, welch unlösbare Konflikte, welch ein Meer der Verzweiflung, welch ein Meer seelischen Zerbrechens! Der Vater meiner Freunde kam nie wieder und ebenso wenig der Mann meiner Tante Ursel, die auf ihn jahrelang wartete.

Noch einmal: Zu all solchem Elend kam es durch die allgemein begrüßten naziideologischen Phrasen, die schließlich ins mörderische Abseits führten und nun nach 70 Jahren vom erstarkenden rechten Rand der Bevölkerung wieder zu hören sind. Was ist mit den Leuten los? Sind die irre? Folgen die tatsächlich dem Lenin-Spruch, nach dem der Kapitalist seinem Henker auch noch den Strick verkauft?

Allein dem Naziton hörend oder lesend wieder zu begegnen, retraumatisiert viele Menschen - auch mich, die den grausamen Wahnsinn der Nazizeit noch miterlebt haben.

Von den Verursachern, also auch den Millionen Mitläufern, vor allem aber vielen ihrer Nachkommen heute, suchen jetzt wieder Tausende ihr Heil nicht nur bei Konservativen, - das wäre nicht das Schlimmste - sondern bei den neuen Rechtsextremen. Wie um Gotteswillen ist das möglich? Wie kann Nazi-Ideologie nach den entsetzlichen Erfahrungen des Gewesenen inmitten einer Demokratie Menschen wieder den Kopf verdrehen? Da fragt man sich: Gibt es eine vor einer neuen Nazi-Diktatur schützende Demokratie eigentlich noch hierzulande?

Nein! Das Wort „Demokratie" bedeutet bekanntermaßen „Volksherrschaft" alias „Es herrsche das Volk". Demokratie bedeutet nicht „Es herrsche der Kapitalismus" bzw. „Es herrsche der Kapitalist und mit ihm der Konservative, oder gar der braune Rand."

Vor dem braunen Rand, der seinen Radius ständig vergrößert, kann man heute Angst haben. Das Problem der Demokratie ist, wie Kant oder Adorno es wussten, unter anderem die fehlende „Mündigkeit" vieler Menschen, der Wahlberechtigten. Soll man die Braunen von der Wahl ausschließen? Wir lassen die Frage hier undiskutiert. Denn schlimmer noch als die Rechtsradikalen, die die Demokratie, ja ganz Europa zerstören wollen, ist, was sie letztlich lenkt, und wofür rechte Ideologie allgemein besonders offen ist: das Geld und seine Kanalisierung durch die Superkrake der allherrschenden 40 Megaverdiener dieser Welt und dadurch scheinbar unkorrigierbar Mächtigen.[1] Das vor allem zerrüttet den demokratischen Abwehrwall gegen Ausbeutung und Vernichtung.

Leben wir nicht jetzt schon in der Diktatur einer lobbyistisch getarnten riesigen Geldmacht, an der Politiker und eben besonders die Rechten scheinbar wie Marionetten hängen? Ich glaube: Ja. Man denke nur an die Spendenskandale.

Und ist Demokratie nicht dadurch schon jetzt derart geschwächt, dass sie sich gegen die ideologische Pest des neuen, sich in demokratische Mäntel hüllenden Nazitums nicht mehr wehren kann? Beginnt sich nicht, anders als Marx es sich dachte, Hand in Hand mit dem Großkapital eine Diktatur des braunen Proletariats zu etablieren, eine Diktatur der Unmündigen, wie Kant es ausdrückte, eine Diktatur der scheindemokratischen Neo-Nazis Hand in Hand mit dem unsäglichen Reichtum der Mächtigen unter uns?

Welche Naziphrasen, die heute wieder zu hören sind, meine ich genau? Schon in meiner frühen Jugend war ich Organist. Während ich - wie allsonntäglich - in der Kirche an der Orgel mein Eingangsstück spiele, trampeln, sich bitteren Ernst in ihre Minen zwingende Männer zur Orgelempore hoch. Mit Kyffhäuser Riesenbannern decken sie die gesamte Empore zu. Es ist Heldengedenktag. Der heißt nun seit einiger Zeit

---

[1] Jean Ziegler,Was ist so schlimm am Kapitalismus?, Bertelsmann 2019

„Volkstrauertag", aber am Ritus scheint sich nicht viel verändert zu haben. Dazu gehört auch der Ort: die Kirche. Und hier erlebe ich, dass dieser Soldaten- bzw. Veteranenbund aufs Beste bedient wird. Es geht nicht um Jesus oder Gott, es geht um den Patriotismus, dem auch Frauen anhängen „dürfen" als Feigenblatt sozusagen, es geht um den guten Patrioten, und es geht ums Vaterland, es geht um die Ehre, um die Kriegs-Helden, das Volk, die Heimat, die reine deutsche Familie, die Ehe, das todbringende Schützen von Frauen und Kindern usw., um Themen also, die sowohl von den Konservativen bis hin zu den Neonazis agitatorisch vorgebracht werden.

Die Massenmorde in Babyn Jar oder Auschwitz, Buchenwald, Leningrad und in anderen Stätten des Grauens werden nicht thematisiert, obwohl die Männer der Wehrmacht hier todbringend agierten, ja nicht einmal eingestanden, dass der Krieg ein deutscher imperialer Angriffskrieg und als solcher ein internationales Riesenverbrechen war.

Aber auch selbst das ehrenvolle Bemühen der „Bekennenden Kirche" wird nicht angesprochen. Wie auch? Der Pfarrer hätte in solchen Gottesdiensten dann ja sagen müssen, wogegen sich diese aufrechten Leute wandten. Die sträflichen Auslassungen, all das, was am sogenannten Heldengedenktag unerwähnt blieb, tragen dazu bei, der Kriegslüge der hitlerindoktrinierten Traditions-Soldaten in zweiter, ja dritter und vierter

Generation Fortbestand zu sichern. Warum tun Pastoren das? Damit es keinen Skandal in großen Teilen unseres noch immer rechtskonservativen Landes gibt, das sich rechtskonservativ erhalten möchte, und damit nicht noch die letzten Kirchgänger meinen, der Kirche im Falle ehrlicher, vermeintlich linker Predigten den Rücken kehren zu müssen, oder weil diese Pastoren selbst rechts stehen.

Und natürlich bleiben auch die braunen Kriminellen der Kirche selbst, die mit den Nazis Hand in Hand mordeten, unerwähnt und damit zwangsläufig auch die wahren Helden und Heldinnen, die sich dagegen stellten, wie z. B. meiner Tante Irmgard Almstedt.

Dieses habe ich als Kind miterlebt: In der Marien-gemeinde in Göttingen gab es einen Pastor namens Bruno Benfey. Er war allgemein beliebt. Und meine Tante Irmgard, die damals dort Gemeinde-schwester war, nahm mich oft mit in die Kirche, weil ich von der großen Mahrenholz-Orgel mit ihren schönen Kupferpfeifen damals sehr fasziniert war. Anlässlich solcher Besuche traf ich auch Pastor Benfey, einen von Herzen freundlichen kleinen Mann. Aber ich sah auch seinen teuflischen Widersacher, den Superintendenten Runte, einen Erznazi und SA-Mann.

Der brachte es fertig, seinen Pastor ins KZ Buchenwald bringen zu lassen, weil die Eltern dieses christlichen

Pastors vom Juden- zum Christentum konvertiert waren und Benfey demnach jüdische Wurzeln hatte. [2]

Dabei vergaß der Kirchennazi Runte offenbar nicht nur die Liebesgebote Jesu sondern sogar, dass das ganze Christentum im Judentum wurzelt. So sehr hatte ihn die Naziideologie verblendet. [3]

Diese Ungeheuerlichkeit ließ meine Tante über sich hinauswachsen. Ich erinnere mich noch genau, wie sie an ihrer Eintasten-Mignon-Schreibmaschine - ich halte das Gerät noch heute in Ehren - unablässig schrieb. Wie ich bald nach dem Krieg erfuhr, hatte sie - natürlich geschickt getarnt - mit der Widerstandsbewegung in Holland korrespondiert. Mit Erfolg: Zusammen mit dem Sohn Pastor Benfeys wurde es möglich, diesen armen Menschen aus dem KZ zu befreien. Ich sah ihn, wie er zu seiner Wohnung in der Gartenstraße stolpernd von zwei Frauen aus der Gemeinde beinahe getragen wurde. Als lebendes Skelett konnte er nicht mehr allein gehen.

Einen späten Nazi-Gruß aus dieser Gemeinde erhielt ich, als ich mich um die frei gewordene Organistenstelle in der Marienkirche viele Jahre später bewarb. Gerne wäre ich Organist an der schönen

---

[2] HNA (Hessische / Niedersächsische Allgemeine) vom 10. Nov. 2013: Schülerinnen erinnern an Progromnacht und Pastor Benfey
[3] Der Umgang der Landeskirche Hannovers mit den „getauften Pfarrern" während der NS-Zeit,Examensarbeit von Leif Rocker zum Ersten theologischen Examen (Kirchengeschichte), Göttingen 2018, S. 25 ff.

kupfernen Mahrenholz-Furtwängler Orgel geworden, die mich als Kind schon angelockt hatte. Die Nazizeit ist vorbei, und die alten Auguren sind nicht mehr an der Macht, dachte ich naiverweise. Alles schien gut zu sein, und scheinbar freute man sich, mich als Organisten gewinnen zu können. Doch dann kam die Wende: In einem Gespräch mit einem der dortigen neuen Kirchenobern fragte dieser, plötzlich misstrauisch geworden, nach meinem Namen. „Almstedt", sagte ich. Er fragte nach: „Wirklich Almstedt?" „Ja, Martin-Aike Almstedt". Die Mine des Kirchenchristen wurde grau und gerann zu einer fröhlich lächelnden Maske. „Gut," sagte der Gottesknecht, „es ist ja alles gesagt." und ging grußlos. Ein paar Stunden vor meinem Antritts-gottesdienst als Organist erhielt ich die Aufforderung, ein mir völlig unbekanntes Chorkonzert mit einem mir völlig unbekannten Chor vom Blatt zu dirigieren. Konnte ich mir das zutrauen? Noten dafür hatte ich nicht und sie wurden mir auch nicht gegeben. Vom Blatt also! Ich dachte: „Versuchen kann ich es ja, trotz meiner geringen Erfahrung als Chorleiter." Aber dann waren die Noten für mich plötzlich *gar nicht* zur Verfügung, - und da endlich kapierte ich: Die grund-ruhmreiche Vergangenheit meiner Tante hatte ihren Neffen eingeholt.

Für mich ist die Mariengemeinde in Göttingen seit dem ein braunes Nest. Für meine Tante - und das schätze ich als ihren größten Sieg - war es das nach dem Krieg nicht mehr. „Allen Sündern muss man vergeben, nicht „7 mal, sondern 70 mal 7 mal" zitierte sie oft Jesus[4]. Rechte Ideologie ist allerdings vermutlich nicht nur dort bis heute anzutreffen. Das jedenfalls legt die unsägliche Hetzschrift AFD-treuer Anhänger „Warum Christen AFD wählen" nahe.

Bei meinen Kindheits-Erinnerungen an die Marien-gemeinde in Göttingen fehlt noch manches, besonders aber dieses ist mir stark im Gedächtnis geblieben:

Jahre nach dem Krieg hatte ich eine Begegnung mit Superintendent Runte zufällig in der Gartenstraße nahe der Marienkirche. Ich erkannte ihn wieder und er scheinbar mich. Ein großer schlanker Mann mit den Augen eines Greifvogels und den lächelnden Zügen eines todverteilenden Inquisitors. „Benfey umzubrin-gen haben Sie nicht geschafft. Nun predigt er doch wieder in der Marienkirche" sagte ich. Er zwang ein noch falscheres Lächeln in sein böses Gesicht und hob seinen rechten Arm. Wollte er den Hitlergruß zeigen, wollte er sich mit der Geste des Segnens versündigen? Ich weiß nicht mehr , ob er etwas sagte, ich lief einfach weg, nur weg von dieser Höllenerscheinung, der auch meine aufrechte christliche Tante, die Gott sei Preis und Dank aus der Kirche inzwischen ausgetreten war, vielleicht ganz zum Opfer gefallen wäre, wenn die Nazizeit noch länger angedauert hätte. Denn der

---

[4] Matthäus 18, 22

Mörderbande war das Mörderhandwerk selbst nach dem Krieg nicht sofort zu legen. Die perverse Mordlust beherrschte lange noch viele dieser Wahnsinnsfiguren. Mit Sondererlaubnis der Besatzer, wie z. B. auch noch unter des Prinzen Segen in Holland, durften SS-Nazis Standgerichte und Erschießungen abhalten und taten das auch.

Kapitel 2

1. Das weiblich männliche Prinzip

In Platons Symposion kommt die Fabel vom Kugelmenschen vor. Dieses Wesen hatte vier Arme und vier Beine und bestand aus einer Einheit von Mann und Frau. Das gab ihm unermessliche Kraft, worüber sich Zeus empörte und in seinem Zorn den Kugelmenschen entzwei schlug. Seither suchen die männliche und die weibliche Hälfte nach Vereinigung.

Der Mythos kann als Hinweis auf jene Urformen des Lebens gelesen werden, in denen es eine weiblich/männliche Teilung noch nicht gab bzw. gibt, wie z. B. bei Einzellern, aber auch bis heute z. B. bei Wasserflöhen oder bei Bienen, wo Vermehrung auch durch Parthenogenese alias Jungferngeburt geschehen kann. Das aber ist die Ausnahme. In der Regel sind quer durch die gesamte Natur zueinander dringende Kräfte angelegt, die in ihrer Vereinigung neues Leben ermöglichen. Im Falle des Menschen bewirken diese Kräfte unterschiedliche Körper: den weiblichen und den männlichen in einer Fülle von Variationen. Diese Unterschiedlichkeit ist anhand typischer Merkmale beschreibbar als Unterschiedlichkeit der primären inneren und äußeren Fortpflanzungsorgane sowie der sekundären äußeren Geschlechtsmerkmale wie Haarwuchs, Brüste und Gestalt. Aber das ist nicht alles. Auch die Gehirne unterscheiden sich bei männlichen und weiblichen Menes schen bereits im Mutterleib, wie die Hirnphysiologin Brizendine[5] in ihren Büchern ausführt. Nicht weniger gilt das für die die hormonelle Ausstattung.

Es fällt auf, dass die Natur in all dem Ergänzungsverhältnisse angelegt hat, wobei dies für die Fortpflanzungsorgane am offensichtlichsten ist. Allerdings gilt bereits für diese scheinbar unverrückbare Aussage, dass zwischen körperlicher Realität und ihrer Beschreibung große Unterschiede bestehen können, wie Menschen mit androgyn ausgelegten Körpern in einer Fülle von Variationen zeigen. Verallgemeinernd kann man sagen, dass das, was an Merkmalen, die gewöhnlich als männliche gelten, normalerweise auch bei Frauen auftreten können, und das, was an Merkmalen, die gewöhnlich als weibliche gelten, auch bei Männern zu erkennen sind, was allerdings im körperlichen Bereich hinsichtlich der Ausstattung zur Gebär- und Stillfähigkeit nicht austauschbar ist. In dieser Hinsicht findet die Variationsbreite der möglichen gemeinsamen Merkmale in Bezug auf Männer und Frauen eine unüberschreitbare Grenze. Frauen sind in dieser Hinsicht nur Frauen und Männer nur Männer.

Zweifellos bewirkt die Verschiedenartigkeit weiblicher und männlicher Körper in Männern und Frauen unterschiedliche körperliche Empfindungen, seelische Gefühle und darauf aufbauend Selbst- und Weltbilder, wobei

---

[5] vgl. Louann Brizendine, Das weibliche Gehirn, Hoffmann und Campe 2007, und Louann Brizendine, Das männliche Gehirn, Hoffmann und Campe 2007)

die Sozialisation ein weiterer unzählige Varianten erzeugender Faktor ist, der mitunter sogar die von der Natur gegebenen Faktoren überdeckt.

Gehen wir die Frage nach dem weiblichen und dem männlichen Prinzip dialektisch an und stellen dazu willkürlich folgende Begriffspaare auf:

- geben / empfangen
- gestalten / nehmen
- strukturieren / kommen lassen
- logisch denken / intuitiv denken
- zielgerichtet / offen
- fokussiert / ausdehnend
- kämpferisch / nachgiebig
- draufgängerisch / vorsichtig
- ausbeutend / bewahrend
- bestimmend / hingebend
- spaltend / versöhnend
- erschaffend / repetierend
- materiell / spirituell
- kraftvoll / schwach
- verbrauchend / behütend behaltend
- hart / weich
- stur / diplomatisch
  etc.

Betrachtet man diese Begriffspaare, so fällt auf, dass die einzelnen Begriffe kaum alleine bestehen können, sondern ihre Bedeutung nur in Kombination mit dem jeweils anderen Begriff erhalten. Des Weiteren wird klar, dass einige dieser Paare nicht nur enger zusammengehören wie 2, 3, 4, 5, sondern alle dieser - und unzähliger weiterer - Paare einem Prinzip folgen, das im Urprinzip des Nur-Weiblichen bzw. Nur-Männlichen und damit in der Geschlechtlichkeit bzw. Fortpflanzung alias Lebenserhaltung wurzelt.

Nun wäre es zweifellos falsch, die linke Seite dieser Paare männlichen und die rechte Seite weiblichen Menschen in feststellender Weise zuzuordnen und sie dabei möglicherweise auch noch einer Wertung im Sinne von gut oder schlecht zu unterziehen. Beide Seiten sind für das menschliche Leben nötig und finden einander ergänzend im jeweils anderen ihr Korrektiv, was Dialektik im Sinne von These, Antithese und Synthese bedeutet und zugleich das Grundgesetz jedes guten Ergänzungsverhältnisses zwischen Frauen und Männern ist.

Bis auf die naturgegebene evolutionäre Urkraft, die einander geradezu magisch anziehende weibliche und männliche Körper zwecks Fortpflanzung hervorbringt, können alle diese Merkmale alias Eigenschaften sowohl an Frauen wie an Männern festgestellt werden, wobei die Eigenschaften der rechten Seite verständlicherweise eher an Frauen auftauchen als an Männern. Aber natürlich können auch Männer z. B. weich, behütend, bewahrend, nachgiebig, vorsichtig, intuitiv etc. sein, aber dann immer in männlicher Weise, was sie dem weiblichen Sein näher bringt. Und Frauen können wie

Männer primär logisch denken, können hart, ja grausam, spaltend, kämpferisch, zielgerichtet etc. sein, aber dann nur in weiblicher Weise, was sie dem Verständnis männlichen Seins näherbringt. Dass diese Möglichkeit variabel einsetzbar oder aber auch in fixierter Weise besteht, verdankt sich der Tatsache, dass in jedem Mann eine Frau steckt und in jeder Frau auch ein Mann (s.u.), was die uralte einzellige Eingeschlechtlichkeit wieder in den Blickpunkt rückt.

Da Frauen und Männer sich aus dem Tierstadium seit Jahrtausenden heraus entwickelt haben (was nicht bedeutet, dass dieses Stadium überwunden ist), gilt seit langem deutlich hervortretend die Einteilung Körper, Seele und Geist, wobei zwischen diesen Bereichen ein enges Beziehungsgeflecht im Sinne von Wechselwirkungen besteht. Aber das ist nicht alles. Wie bereits angesprochen kommt es vor, dass Menschen mit männlichem Körper weiblich fühlen und denken und Frauen mit weiblichem Körper männlich fühlen und denken. Und nicht nur das: Es gibt - wie im nächsten Unterkapitel noch weiter auszuführen ist - weibliche und männliche körperliche Merkmale in androgynen Menschen mit ebenfalls mehr männlicher oder weiblicher Psyche. Es ist nicht ausgeschlossen, dass sich dieses scheinbare „Durcheinander" als evolutionärer Schritt in Richtung neuer Menschenwesen ankündigt, was Platon mit seiner Idee vom Kugelmenschen vielleicht schon ahnte.

2. Das weibliche Prinzip als Bezugspunkt in der menschlichen Gesellschaft

Aus dem männlichen Samen und dem weiblichen Ei entsteht der Mensch jeweils in einer Frau. Alle Menschen haben insofern ihre Wurzeln im weiblich-männlichen Prinzip und sind so gesehen von Natur aus androgyn angelegt.

Das gilt hinsichtlich der Ausgewogenheit dieser Pole jedoch bei den meisten Menschen nur für den Lebensanfang. In der weiteren Entwicklung verändert sich die Ausgewogenheit dieser Pole sehr bald schon zugunsten des männlichen oder des weiblichen Pols.

Das ist jedoch nicht immer so. Es gibt wie bekannt auch androgyn gleichstark ausgeprägte erwachsene Menschen, die männliche und weibliche Merkmale in körperlicher und seelischer Hinsicht aufweisen. Aber in der Regel dominiert im Laufe der Entwicklung des Menschen bereits im Mutterleib das weibliche oder das männliche Prinzip, und es entstehen Mädchen und Jungen, aus denen später mit der Geschlechtsreife Frauen bzw. Männer werden[6]. Das ändert jedoch nicht, dass der erwachsene Mann wie auch die erwachsene Frau noch immer androgyn veranlagt ist. Entscheidend allerdings ist dabei, dass dies in unterschiedlichem Maße der Fall ist: Entweder dominiert der weibliche Pol stär-

---

[6] vgl. Fußnote 3

ker oder schwächer vor dem männlichen oder der männliche vor dem weiblichen. D.h.: Die androgyne Anlage des Menschen ist meistens mehr oder weniger stark eine unausgeglichene.

Wie alles Unausgeglichene in der Natur nach Ausgleich strebt, so auch die Unausgeglichenheit der androgynen Anlage beider Geschlechter.

So streben, um eine androgyne Balance zu erlangen, die Frau zum Mann und der Mann zur Frau. Das Gefühl und die Empfindung dabei ist die biologische Grundlage für das, was „Liebe" genannt wird. Diese ist schon in den frühen Stadien der menschlichen Entwicklung deutlich vorhanden, wird aber erst mit der Geschlechtsreife zusätzlich als sexuelle spezifiziert. Diese Spezifizierung ist dabei jedoch keine zwangsläufig fixierte. Das androgyne Streben nach Ausgleich besteht mit und ohne den Sexualtrieb weiter und kann sich mit diesem unterschiedlich stark bis hin zur Dominanz oder aber auch Bedeutungslosigkeit verbinden. So ist es möglich, dass eine Frau einen Mann ohne sexuelles Bedürfnis liebt und ebenso ein Mann eine Frau. (Ob eine solche Beziehung dann die Charakteristika einer Freundschaft erfüllt, kann sein, muss es aber nicht.)

Dieses Hinstreben zum anderen Geschlecht ist jedoch bei Frauen hochgradig anders ausgelegt als bei Männern - und bei Männern anders als bei Frauen. Das liegt daran, dass alle Menschen in Frauen entstehen und nicht in Männern. Alle sind durch das weibliche Blut, die weibliche Nahrung (sogar nach der Geburt als Säuglinge), die weiblichen Gedanken, Gefühle und körperlichen Empfindungen nicht zuletzt in Situationen geschlechtlicher Vereinigung für das ganze Leben geprägt. Diese Prägung ist im Normalfall lebentragend. Sie ist es vor allem, wenn die Mutter körperlich und geistig gesund und seelisch ausgeglichen ist, und in ihr ein deutliches Ja zu ihrer Schwangerschaft und damit zu ihrem Kind besteht, sie sich ferner gesund ernährt, keine Drogen zu sich nimmt und eine liebevolle Beziehung zum Vater hat. Trifft das nicht zu und die Mutter erlebt Gewalt oder nimmt z. B. Drogen, raucht oder vergiftet sich körperlich in anderer Weise durch gedopte industrielle Nahrung und setzt sich dazu auch geistig und seelisch dem Müll unserer Unkultur aus, vergiftet sie ihr Kind körperlich, geistig und seelisch. Wenn dann auch noch das Ja zum Kind fehlt, kann von einer lebentragenden Prägung kaum die Rede sein.

Allerdings: Wie diese Prägung im Einzelnen auch ausfällt, immer ist sie - auch unabhängig von der Vererbungsfrage - eine weibliche. Damit aber hängt zusammen, dass das Hinstreben zum anderen Geschlecht bei Frauen zwangsläufig anders aussieht als bei Männern:

Der androgyn unausgeglichene Mann sucht seine Ausgeglichenheit ein Leben lang in der Frau. Er will zurück zum weiblichen Prinzip alias zur eigenen Weiblichkeit, zu seiner ureigenen Heimat. Er will in ihren Körper, damit auch in ihre Welt der Worte, der Bilder, der Klänge etc.

Die androgyn unausgeglichene Frau trägt solche Heimat bereits in sich. Sie strebt nicht zum weiblichen Prinzip alias zum Mutterleib zwecks androgynen Ausgleichs. Der Mutterleib ist bereits in ihr. Deshalb ist sie von Natur aus keine danach Suchende, sondern eher eine sich in ihrer Weiblichkeit gegenüber anderen Frauen Bestätigende.

Dennoch ist sie dabei nicht autonom, sondern auf den Mann psychisch und körperlich bedürftig bezogen, um nach androgynem Ausgleich strebend ihrer eigenen Männlichkeit begegnen zu können. (Hierin liegt nicht natur- sondern kulturbedingt oft auch ein retardierendes Moment bezüglich ihrer selbstreferenziellen Möglichkeit als Konkurrenzverhalten gegenüber anderen Frauen.)

Die erhoffte Erfüllung findet sie im androgynen Ausgleich allerdings nur vorübergehend, ebenso wie der Mann die seine im Zusammensein mit der Frau. Im Gegensatz zum Mann ist das Streben nach androgyner Erfüllung für die Frau aber auch nicht das Wichtigste. Primär wichtig ist für sie der Mann zwecks Befruchtung. Sie ist auf ihn angewiesen, um ihrer naturgegebenen Gebärfähigkeit nachkommen zu können, also Kinder zu empfangen, auszutragen und zur Welt zu bringen und sie in mütterlicher Liebe zu umsorgen.

Ihre Liebe zum Mann im Sinne ihres androgynen Aus-
gleichsbedürfnisses ist daher vor allem sexuell geprägt,
was sich bis in ihre Auswahlkriterien auswirkt.

Mann und Frau streben insofern beide primär zum
weiblichen Prinzip, wenngleich von Natur aus in asymmetrisch strukturierter Weise.
D.h.: Mann und Frau bilden
von Natur aus eine asymmetrische Diade, wobei beide ihren Bezugspunkt im weiblichen Prinzip haben. Noch anders gesagt: Solange Frauen
und Männer aufein-ander bezogen sind, bildet die Frau
den Bezugspunkt, sozusagen
als tonale Mitte.

Das wusste scheinbar auch
Goethe, der seinen Faust auf
den Satz konzentriert: „Das
ewig Weibliche zieht uns hin-
an."

Venus von Willendorf,
ca. 27.000 v. Chr.

Aber selbst schon in der aus-
gehenden Neandertalzeit war das als Naturgegebenheit
bewusst und gesellschaftsprägend. Schon vor ca.
27tausend Jahren nämlich schuf ein Mensch die Skulptur einer Frau mit überbetonten Geschlechtsmerkmalen: die bekannte Venus von Willendorf. Und vor ca.
40tausend Jahren entstand die Venus von Hohenfels,

eine Skulptur, die beinahe nur aus weiblichen Geschlechtsmerkmalen besteht.

Über die Welt verstreut gibt es viele Skulpturen dieser Art. Darunter auch viele Darstellungen von Frauen in deutlich überbetonter Schwangerschaft. Scheinbar wusste man zu dieser frühen Zeit, wo der Ankerpunkt, alias der Ausgangs- und Bezugspunkt des Lebens liegt.

Die menschliche Gesellschaft zu dieser Zeit als matriarchale reflektiert das.

Einige Gesellschaften dieser Art gibt es noch heute. Ein Beispiel dafür ist das Volk der Mosuo in China. Allerdings ist die Gesellschaft gegenwärtig nicht nur dort matriarchal strukturiert. Trotz aller kulturbedingten Verwerfungen hat sich die matriarchale Struktur in anderer Weise bis heute am Boden des Patriarchats in den kleinsten Einheiten der heutigen Gesellschaften weltweit in unzähligen Variationen erhalten. Das zeigt die Betrachtung der Familien, wie immer sie zusammengesetzt sein mögen. Hier herrscht - wenngleich oft patriarchal verzerrt - zwischen dem männlichen und dem weiblichen Prinzip noch immer die asymmetrische tonale Diade vor.

In dieser Asymmetrie finden Frau und Mann in der körperlichen Liebe zusammen und „werden ein Fleisch" in ihren Kindern.

Die Mutter liebt ihre Kinder primär selbstreferenziell gleichsam als Variationen ihrer selbst, und erblickt erst in androgynem Vervollkommnungswunsch sekundär in Ihren Kindern Variationen ihres Mannes. Der Vater liebt seine Kinder ebenfalls, aber vor allem als Variationen einer Frau, in denen auch er sekundär als sozusagen weiblich variierter selbstreferenziell enthalten ist.

Kinder lieben je nach Geschlecht asymmetrisch Mutter und Vater so, wie die Eltern einander lieben.

D.h.: Ein Mädchen liebt die Mutter selbstbestätigend in ihrer mädchenhaften Weiblichkeit und den Vater in mädchenhaft androgyner Ergänzung; und ein Junge liebt seine Mutter in jungenhaft androgyner Ergänzung und seinen Vater selbstbestätigend in seiner jungenhaften Männlichkeit. (Der Freud'sche Ödipuskomplex existiert in dieser Sichtweise nicht. Seine Annahme geht von naturwidrig symmetrisch strukturierten Diaden im partriarchalen mordlüsternen Gesellschafts-System aus, in dem die Frau-/Mann-Beziehung alias das friedvolle weiblich männliche Prinzip innerhalb asymmetrisch strukturierter tonaler Diaden nicht in Erscheinung tritt.)

Wichtiger in der von der Natur vorgesehenen Liebe der Kinder zu ihren Eltern ist jedoch noch etwas anderes, nämlich, dass Kinder den Vater in seiner asymmetrisch tonalen Liebe zur Frau lieben und ihre Mutter in ihrer sich selbst bestätigenden Liebe zum weiblichen Prinzip und ihrer androgyn sich ergänzen wollenden Liebe zum Vater.

Kinder lieben somit die Mutter als tonale Mitte der Familie, gleichsam als Lebensbrunnen und den Vater als diesen Mittelpunkt androgyn liebendenden und stützenden. Die spätere sexuelle Liebe ist dabei natürlichermaßen nicht vorhanden.

Entscheidend für eine gesunde Entwicklung von Kindern ist somit eine Familie, in der das männlich/weibliche Prinzip für alle Beteiligten - in welcher Spielart auch immer - des aufeinander Bezogenseins in Form einer oder gegebenenfalls auch von mehreren asymmetrisch strukturierten tonalen Diaden möglich wird.

Verkürzt gesagt: Wenn Kinder ihre Mutter lieben und ebenso die Liebe von Vater und Mutter als eine tonale asymmetrisch diadische, durch alle kulturbedingten Verwerfungen hindurch spüren, entsteht für Kinder ein seelischer Boden des Gehalten- und Geborgenseins, ein Urvertrauen, das auch späteren Erschütterungen standhält.

3. Die drei goldenen Wurzeln einer Kultur des Glücks oder der Kern materpaklitistischen Denkens

Die Worte Patriot und Patriotimus fielen alljährlich am Heldengedenktag besonders oft. Wenn überhaupt, sollte es jedoch nicht „Patriotismus" sondern lieber

„Matriotismus" heißen, und Entsprechendes gilt für den Patrioten, der als Matriot einen guten Platz in der Gesellschaft hätte. Wir unterstreichen noch einmal: Wir alle kommen von Frauen, sind in Frauen entstanden, sind durch weibliche Empfindungen und Gefühle mehr als hautnah, nämlich blutnah geformt worden, haben die weibliche Stimme schon im weiblichen Körper gehört, als Ausdruckslaute der Liebe, des Trostes. Manchmal erklang diese Stimme auch ohne Worte und immer war sie in den mütterlichen Worten präsent. Und: Sind wir nicht alle von einer Frau geboren worden, haben uns nicht alle von ihrer Milch ernährt, ihre Wärme, ihre Liebe, ihren Schutz genossen, ihre Lieder wie ihre Sprache, unsere Muttersprache, gehört und in ihren allerersten Anfängen gelernt? Wie angeblich im Sanskrit stimmten wunderbarerweise in diesen Anfängen die gesprochenen Worte über ihre Klänge und den mütterlichen Stimmklang mit dem, was sie jeweils bezeichneten noch ganz überein. Das klingende Wort z. B. „Mama" war nicht getrennt vom Mutter-Erlebnis, weder bei der Mutter noch später beim Kind. Wort und Sache waren noch eins.

Hier liegt, denke ich, die eine der drei Wurzeln einer Kultur, in der das Gefühl des Mitseins, der Liebe, das Wichtigste ist. Das Wort „Kultur", das sich von colere (= pflegen) ableitet, reflektiert das.

Natürlich gab es auch den Vater. In meiner Kindheit war er ein guter: Er liebte seine Frau, war gut zu ihr und liebte seine Kinder. Mit ihr wollte er eins sein: körperlich, geistig, seelisch und sie mit ihm. Auch die pflegen-, schützen- und erhaltenwollende Liebe war da. Was er alles besorgte! Das große dunkle viellöchrige Brot habe ich noch immer im Gedächtnis.

Natürlich erinnere ich mich auch an meine Wiege (was unwissende Hirnphysiologen bestreiten), ebenso an die schön klingenden Glöckchen darin, meinen großen Stoffbären, den ich heute noch habe usw. In dieser Liebe umfasste er unsere Mutter und uns als Kinder, ja, irgendwie sogar jeden. Er war ein weicher liebevoller Mann. Dieses Mutter/Vatergestirn war der Kern des Guten in meiner Kindheit. Gott sei Dank!

Das ist für mich die zweite Wurzel einer gelingenden Kultur.

Aber es gibt noch eine dritte, und auch die war in meiner Kindheit noch gesund:

Als ich vor Jahren aus Texas wieder zurückkam, war ich versucht, den nassen kalten Asphaltboden Frankfurts zu küssen. Nachdem ich noch im September 40 Grad Hitze, endlose Trockenheit und Kakteen, harte Sträucher und giftige Schlangen in Texas erlebt hatte, dazu Weihnachtsdekoration in den Kaufhäusern und Schaufenstern, umfing mich das nasse kühle Wetter hierzulande wie ein Himmelshauch. Und später erst im dichten nassen Wald: die Gerüche der Bäume, der Pilze, der Blumen und Sträucher, die Stimmen der Tiere.

Welch ein Segen! Der ganze Körper blühte auf, die Seele dazu. Fast wäre ich auf die Knie gefallen, um zu danken. Und all das erscheint hier sogar in verschiedenen Variationen, die schon Vivaldi besungen hat: in den Vier Jahreszeiten, die es so in Texas nicht gibt.

Bis hierhin besteht wahrscheinlich breiter Konsens, vielleicht sogar bis an den rechten Rand der Bevölkerung. Aber Vorsicht, denn aus diesen Leben und Kultur tragenden Wurzeln erwachsen in unterschiedlicher Betonung in vielmillionenfachen Variationen unterschiedliche Formen des Zusammenlebens, der Familien, letztlich der Gemeinschaft und auch der Art der Heimat, die bei uns fälschlicherweise „Vaterland" genannt wird.

4. Die Gefährdung der Familie durch schwarzbraune Ideologie

Das jeweilige Ja zu diesen Variationen decken Worte wie „Patriotismus", „Patriot", „Vaterland" natürlich nicht im Geringsten ab. Im Gegenteil, diese Worte lassen von der genannten dreifachen Wurzel nur die schwache männliche bestehen, die ohne die anderen beiden letztlich zum Verdorren verurteilt ist, wie auch diese ohne die männliche Wurzel.

Damit das nicht geschieht, unterdrückt im gelebten Patriotismus der Mann die anderen beiden Wurzeln und damit Frauen, Kinder und die Natur.

Das Wort „Patriotismus", das selbst noch bei Martha Nussbaum[7] eher positiv besetzt ist, sollte, wie schon angedeutet, ganz wegfallen. Auch Matriotismus wäre zu einseitig, wenngleich besser.

„Matriopatrismus" wäre zutreffender. Und wenn in diesem Wort der Klima- und Naturaspekt als dritte Wurzel auch noch vertreten sein sollte, könnte man vielleicht auf das zugegeben sperrige, aber in der Aussprache recht schmackhafte Wort „Materpaklitismus" kommen. Das wäre nicht falsch, hat für mich aber schon einen dogmatischen Anklang, der an eine starre Ideologie erinnert. Deshalb spreche ich lieber vom materpaklitistischen Fühlen, Empfinden, Wahrnehmen und Denken, wofür im folgenden Text allerdings oft nur das Wort „Denken" steht.

Was kann unter diesem künstlichen Namen genauer verstanden werden?

Das soll zunächst die Beantwortung der Frage nach den Erscheinungsformen der Familie klären:

Diese besteht weltweit keineswegs - wie in meinem Fall - immer nur aus einer Frau, einem Mann und Kindern,

---

[7] Martha C. Nussbaum, Politische Emotionen, Berlin 2016

ergänzt durch Großeltern, was besonders heute nicht unwichtig ist.

Neben Mann und Frau gibt es auch, wie vermutlich jeder weiß, die bei den Nazis zur Euthanasie bestimmten intergeschlechtlichen Menschen in verschiedenen unzählbaren Variationen. Zusammengefasst gibt es die, welche eher das männliche und die, welche eher das weibliche Prinzip betonen, und dazu die Menschen, die unbestimmt dazwischen liegen. Das gibt es von Natur aus in einer schier unübersehbare Fülle von Variationen.

Überall auf der Welt ist das anzutreffen und seit der Globalisierung inzwischen auch hinsichtlich der Hautfarben der Welt, also weiß, schwarz, braun, rot und gelb.

Damit aber nicht genug: In jedem männlichen Menschen steckt eine Frau und in jedem weiblichen Menschen ein Mann. Und das macht es seit Urzeiten möglich, dass es Frauen gibt, die sich nur zu Frauen hingezogen fühlen und mit ihren Partnerinnen Familien bilden. Das sind nicht wenige. Und es gibt ebenso Männer, die sich nur zu Männern hingezogen fühlen und mit ihren Partnern Familien bilden. Auch das sind nicht wenige. Es gibt ferner Frauen und Männer die sich nur zu Frauen und Männern hingezogen fühlen und mit ihren Partnern und Partnerinnen Familien bilden. Auch das kommt nicht selten vor. Und dann gibt es Männer, die zu Frauen gendern und Frauen, die zu Männern wurden.

Schon die grob umrissenen vier Geschlechter: Mann, Frau, intergeschlechtlich weiblich betont, interge-schlechtlich männlich betont, gehen miteinander verschiedene Beziehungstypen ein.

Kombinatorisch ausgedrückt - wobei 1 = M(ann), 2 = F(rau), 3 = iW (inter weiblich), 4 = iM (inter männlich) bedeutet:

1,2 bedeutet:

    ein Mann geht mit einer Frau eine Beziehung ein.

1,3 bedeutet:

    ein Mann geht mit einer weiblichen iW eine Beziehung ein.

1,4 bedeutet:

    ein Mann geht mit einem männlichen iM eine Beziehung ein.

2,3 bedeutet:

    eine Frau geht mit einer weiblichen iW eine Beziehung ein.

2,4 bedeutet:

    eine Frau geht mit einem männlichen iM eine

Beziehung ein.

3,4 bedeutet:

ein weiblicher iW geht mit einem männlichen iM eine Beziehung ein.

1,1 bedeutet:

ein Mann geht mit einem Mann eine Beziehung ein

2,2 bedeutet:

eine Frau geht mit einer Frau eine Beziehung ein

3,3 bedeutet:

ein weiblicher iW geht mit einem weiblichen iW eine Beziehung ein.

4,4 bedeutet:

ein männlicher iM geht mit einem männlichen iM eine Beziehung ein.

Damit haben wir schon 10 Beziehungsmodelle vor uns, die es naturgegeben einschließlich der beschriebenen asymmetrischen Dominanz des weiblichen Prinzips gibt, und die sich sämtlich zu Familienformen komplettieren können und das in der Praxis oft auch tun.

Wenn man in diese Kombinatorik die Ausdifferenzierung der intergeschlechtlichen Erscheinungsformen nach körperlichen und psychischen Merkmalen und auch noch die unterschiedlichsten Genderformen hinein nimmt bis hin zu denen, die zwischen den Geschlechtern hin und her pendeln und zu keiner Zuordnung kommen, und die daraus sich ergebende bereits unübersehbare Vielzahl von Beziehungs- bzw. Familienmodellen um solche, in denen zwei oder mehrere Frauen mit einem oder mehreren Männern oder in denen zwei oder mehrere Männer mit einer oder mehreren Frauen (was nicht dasselbe ist) zusammenleben (was weltweit in verschiedenen Kulturen der Fall ist) und schließlich das 5-fächrige Farbspiel der Menschen dieser Welt berücksichtigt, ergibt sich eine Liste möglicher Familienmodelle, für die dieses Buch nicht ausreicht. Die Erkenntnistreppe aus Büchern ginge dann bis über den Mond hinaus und weiter.

Aber damit nicht genug: Heutzutage gibt es auch noch die Alleinerziehenden und auch die Formen nur 1 oder nur 2, oder nur 3 oder nur vier oder nur 5 und nur 6, wenn man die beiden Haupt-Genderformen dazu zählt.

Damit meine ich die Singles in verschiedenen Variationen. Hierbei allerdings frage ich mich: Ist der Mensch dazu gemacht? Braucht er nicht in der einen oder anderen Form den gegengeschlechtlichen Gegenpol in einem anderen Menschen? Genügt die eigene Gegenpoligkeit? Ich denke, das Riesenproblem der Einsamkeit und der sich daraus entwickelnden Depression, das unter den unzähligen Entwurzelten unserer Zeit existiert, beantwortet diese Frage. Allerdings darf hierbei nicht der Wert der Freundschaft, ohne die es auch keine gedeihliche Liebesbeziehung gibt, unterschätzt werden. Echte Freundschaften können nämlich, wie allseits bekannt, das Einsamkeitsproblem erheblich mildern.

Die Frage nach der Freundschaft eröffnet allerdings eine weitere Familienperspektive.

Alle angesprochenen Familienformen sind nämlich nicht nur in Liebesbeziehungen gegründet sondern auch in Freundschaftsbeziehungen, in denen zwar weiblich/männliche Beziehungsmuster untergründig da sind, aber Sexualität keine Rolle spielt. Das eröffnet eine weitere Unendlichkeit von Familienmodellen und eine noch weitere von Familien dieser Art.

Es ist nicht die Aufgabe dieses Buches, diesem Fragenkomplex weiter nachzuforschen. Wichtig ist in diesem Zusammenhang allein:

Solange das alle diese Familien-Formen mit und ohne Sexualität umfangende materpaklitistische Denken und damit die Liebe zu Mensch und Natur in allen diesen Familien dieser Familienformen im aufgezeigten und später noch zu vertiefenden Sinn da ist, können daraus lebenfördernde Kulturen und, wie wir noch sehen werden, lebentragende Heimatformen erwachsen.

Naturgegeben kann das sein, solange sich das liebende weibliche Prinzip mit dem liebenden männlichen

Prinzip im familiären Rahmen asymmetrisch und unter günstigen Klima- und Naturverhältnissen ergänzend verbindet.

Kulturgegeben ist das heute so allerdings kaum der Fall. Im Gegenteil: Die christlichen Konservativen, vor allem aber der rechte menschenverachtend ideologisierte braune Rand wird angesichts solcher Gegebenheiten schwarz vor Wut und steht, zusammen mit kriminellen Medizinern, wie es scheint, kurz vor der Empfehlung erneuter Euthanasie. Für alle, die dem naturwidrigen symmetrischen Standardmodell Mann/Frau nicht entsprechen, bedeutet das trotz Lockerungen in der diesbezüglichen Gesetzgebung in Deutschland noch immer ein ausgesetztes Leben voller sozialer Konflikte. Für diejenigen aber, die in einem asymmetrisch quasi matriarchalen sozialen Kontext leben, bedeutet das gegenwärtig ein zwar ausgesetztes, dabei jedoch zukunftsorientiertes Leben in Frieden.

5. Die Heimat

Dass die Rede vom Vaterland obsolet ist, dürfte nach dem Gesagten klar sein. Auch „Mutterland" - dieses Wort wird in Indien gebraucht - trifft es nicht. Ein weiteres kompliziertes Kunstwort, das dem undogmatisch gedachten Wort „Materpaklitismus" entsprechen könnte, wäre vielleicht „Materpakliland".

Zusammen mit dem bluttriefenden Wort „Vaterland" lassen wir auch das ganz fallen.

Aber wie wäre es mit „Heimat"? Vom Artikel her gesehen ist dieses Wort weiblich, hat aber inhaltlich weder eine weibliche noch eine männliche oder sächliche Konnotation.

Mir gefällt dieses alte Wort, obwohl ich damit sicher nicht das meine, was der braunen Ecke vorschwebt. Was verbinde ich mit diesem Wort inhaltlich? Was ist Heimat für mich? Folgen wir der gelegten Spur und fragen, was sich aus dem materpaklitistischen Denken diesbezüglich entwickeln lässt.

Zunächst ist mir grundlegend wichtig, dass Heimat nur aus der voll akzeptierten, ja von allen als Gewinn erlebten Fülle der perspektivisch angesprochenen Familientypen bzw. Familien bestehen kann. Hass, Verfolgung, zwangsweise operative Umwandlung, gar Ermordung naturgegebener Variationen menschlicher Familienformen sind in einer solchen Gesellschaft im Gegensatz zu einer nazi-ideologisch durchseuchten kein Thema. In einer materpaklitistischen Kultur würden alle Familienformen gefördert und geschützt. Das ist der Boden für ein gesundes Heimatgefühl.

Dazu käme der Klima- bzw. Naturaspekt, der ökologisch ausformuliert wäre. Das fände seinen Ausdruck in gesunder unberührter Natur mit natürlichem Klima, und letztlich wären auch das Wohnen im Grünen, saubere fleischlose Nahrung, saubere Luft und Ruhe eine Selbstverständlichkeit.

Es ist nicht so, dass es davon gar nichts in Deutschland gibt. Allerdings keineswegs flächendeckend, sondern eher in der dem materialistischen Kapitalismus entwachsenden spirituellen Ökoalternative, die im Gegensatz zu den Rechten, Ultrarechten und Neonazis nach vorn und nicht nach rückwärts schaut.

In einer materpaklitistischen, aus vielfältigen Familienarten und Familien zusammengesetzten naturbewussten Gesellschaft - was in Enklaven mehr oder weniger schon heute existiert - ist die Frage nach dem Proporz der einzelnen Familienarten unerheblich. Im Hinblick auf Daseinsberechtigung, Rechte, Pflichten und Chancen gibt es keine Unterschiede. Bei aller Verschiedenheit akzeptieren nicht nur alle alle, sondern lernen und profitieren von einander in jeder Hinsicht. Das hebt die Verschiedenheit nicht auf, sondern stärkt sie für alle zum Vorteil.

Unter solchen Menschen fühle ich mich im Allgemeinen wohl. Sie sind freundlich, mitfühlend, tolerant und offen auch mir gegenüber, der ich ihnen als Komponist avancierter klassischer Musik, Organist, Philosoph und Ki-Schüler sehr fremd vorkommen muss. Sie stellen auch nicht die sonst so wichtige Frage, was ich in meinem „Beruf" verdiene. Wir treffen uns auf einer menschlichen Ebene, die niemanden ausschließt. Und sie sind interessiert an mir, wie ich mich umgekehrt auch als Teil ihrer Gesellschaft fühle.

Zur Freundschaft gehört, dass in der Begegnung mit dem anderen Menschen die eigenen Lebensquellen, die Resilienzen, wie Psychologen sagen, gestärkt werden. Gottseidank begleiteten mich Freunde und Freundinnen - deutsche, amerikanische, französische, koreanische, afrikanische, muslimische, chinesische, aller Hautfarben in unterschiedlichen Graden der Verbundenheit durch mein Leben.

Auch bin ich durch den phillippinischen Bischof Benjamin Pacharillo zum Heiler ausgebildet worden, und durch den Inder Jiddu Krishnamurti wurde ich angeregt, meine eigene Spiritualität und Philosophie weiter zu entwickeln.

Mit allen diesen Menschen konnte und kann ich nicht nur materpaklitistisches Denken und Handeln in unterschiedlichster Weise teilen, sondern mit einigen von ihnen auch meine speziellen kulturellen Eigenarten und Bedürfnisse pflegen.

So habe ich viele Jahre lang mit gleichgesinnten Musikern und Musikerinnen aus Deutschland, Amerika und Frankreich gespielt und im In- und Ausland kon-zertiert.

Ich liebe nicht nur die europäische Kunstmusik sondern auch die dieser entsprechenden aus Asien und Afrika. Auch den Klang anderer Sprachen mag ich sehr und esse gelegentlich deshalb - aber natürlich auch des interessanten guten Geschmacks wegen - in verschiedenen indischen, italienischen, koreanischen, türkischen und afrikanischen Restaurants.

Von allen der mir bekannten Kulturen der Welt, die in die materpaklitistische Richtung gehen, fühle ich mich angesprochen und beheimatet. So gehe ich nicht nur aus medizinischen Gründen gerne in einen Ubon-Massagesalon in Göttingen, wo viele lebensgroße handgearbeitete Buddha- und Göttinnenfiguren keineswegs nur zur Dekoration aufgebaut sind und die heiltätigen meditationserfahrenen Frauen Jinnipa und Pan Tipp fröhlich ihre tailändische Sprache erklingen lassen.

Kein Wunder, dass mir bei all dem Heinrich Heines „Lied der Marketenderin" aus dem Dreißigjährigen Krieg gefällt. Die Menschlichkeit in diesen Zeilen berührt mich. Die teile ich ganz.

Lied der Marketenderin

(Aus dem Dreißigjährigen Krieg)

Und die Husaren lieb ich sehr,
Ich liebe sehr dieselben;
Ich liebe sie ohne Unterschied,
Die blauen und die gelben.

Und die Musketiere lieb ich sehr,
Ich liebe die Musketiere,
Sowohl Rekrut als Veteran,
Gemeine und Offiziere.

Die Kavallerie und die Infanterie,
Ich liebe sie alle, die Braven;
Auch hab ich bei der Artillerie
Gar manche Nacht geschlafen.

Ich liebe den Deutschen, ich lieb den Franzos,
Die Welschen und Niederländschen,
Ich liebe den Schwed, den Böhm und Spanjol,
Ich liebe in ihnen den Menschen.

Gleichviel von welcher Heimat, gleichviel,
Von welchem Glaubensbund ist
Der Mensch, er ist mir lieb und wert,
Wenn nur der Mensch gesund ist.

Das Vaterland und die Religion,
Das sind nur Kleidungsstücke -
Fort mit der Hülle! daß ich ans Herz
Den nackten Menschen drücke.

Ich bin ein Mensch und der Menschlichkeit
Geb ich mich hin mit Freude;
Und wer nicht gleich bezahlen kann,
Für den hab ich die Kreide.

Der grüne Kranz vor meinem Zelt,
Der lacht im Licht der Sonne;

Und heute schenk ich Malvasier
Aus einer frischen Tonne.

Und dennoch bin ich kein Anhänger kultureller Beliebigkeit. Zwar fühle ich mich menschlich und kulturell als Weltbürger, aber mit einem geprägten wenngleich offenen Ausgangspunkt, dem meiner materpaklitistischen Prägung: Es gab die Liebe meiner Mutter, es gab die Liebe meines Vaters und die Liebe beider zueinander. Dazu kam das Klima und allgemein die Natur. Aus dieser Wurzel entstand meine Muttersprache nicht nur umgangssprachlich, sondern auch musikalisch. Beides, aber besonders Letzteres ließ in meiner Kindheit Raum für die Entwicklung meiner Quellen alias meiner mitgebrachten Begabungen.

Heimat ist für mich dort, wo diese seelische und körperlich gesunde materpaklitistische Grundprägung ein ehrliches und starkes „Ja" erfährt. Das war in meinem Fall glücklicherweise möglich.

Kapitel 3

1. Die Gegenkräfte zum materpaklitistischen Denken: Die Hauptkrankheit der Psyche heute und das kapitalistische Bildungssystem

Natürlich ist materpaklitistisches Denken, Wahrnehmen, Fühlen und Empfinden nicht bei allen Menschen selbstverständlich. Bei durchschnittlichen Voraussetzungen der Kinderstube bleiben nicht wenige von der heute grassierenden und manchmal alles zerstörenden Krankheit der Minderwertigkeit, ohne die es auch wohl nie einen Hitler gegeben hätte, verschont. Solange diese Krankheit besteht und alles nach groß und klein, gut und schlecht abgemessen wird und der Mitmensch umso mehr klein gemacht werden muss, desto größer die Nähe zu ihm wird, damit das gefühlte eigene Kleinsein nicht allzu sehr schmerzt, ist materpaklitistisches Denken und Sein nicht oder nur sehr behindert möglich. Hier ist zunächst die Psyche zu heilen.

Freud hat als Zentrum aller psychischen Verwerfungen die Sexualität gesehen. Frankel war der Auffassung, dass es das Fehlen eines Lebenssinns ist, das alles Übel hervorbringt. Jung dachte in dieser Hinsicht an das Fehlen überindividueller zeitloser Ankerpunkte alias die „Archetypen". Sie haben alle recht bis heute. Das für unsere Zeit entscheidenste Hindernis für eine gute psychische Entwicklung fand allerdings Alfred Adler, der in diesem Zusammenhang von der Minderwertigkeit sprach. Sie ist tatsächlich die Volkskrankheit Nummer 1. Sie zerstört beinahe jede Beziehung, gleich auch, ob versucht wird, materpaklitistisch zu denken.

Diese Krankheit ist stärker als alles andere, stärker sogar als die Trennung einander Liebender und der Tod. Ins Große gewendet schafft sie Kampf, Mobbing, ja Krieg und vielleicht das Ende der Menschheit. Wir hätten uns wahrscheinlich die Hölle der Nazizeit ersparen können, wenn man Hitler den Zutritt zur Kunstakademie nicht permanent verweigert hätte. Wenn ich mir seine Arbeiten anschaue, muss ich feststellen, dass ich schlechtere von Leuten gesehen habe, die aufgenommen wurden. Nun, er beschloss dann, Politiker zu werden, nicht zuletzt wohl auch, um sich für alle Ablehnungen zu rächen. Im Gegensatz zu vielen, denen es auch so erging und ergeht, konnte er dies dann durch seine Begabung der Volksverhetzung auch tatsächlich werden. Diejenigen, die dies so nicht konnten und gegenwärtig können, wurden und werden zu Mitläufern. Ja, die Abgehängten rächen sich. Wie auch anders? Sie wären nicht Abgehängte, könnten sie über ihr eigenes Denken nachdenken.

Dass es Minderwertigkeit in großem Ausmaß gibt, ist bekannt und nicht verwunderlich. Sie wird system-immanent produziert zum Nachteil des Lebens, zum Vorteil des Bestehenden d.h. des Schlechtbestehenden. Das Dressat verordneter Schul- und Weiterbildung halten vor allem nur diejenigen aus, die keine starken Eigenbildungsbedürfnisse haben, nicht kreativ sind und gut auswendig lernen können, und die daher offen für den Empfang beliebiger Bildungsinhalte sind, auch

wenn diese letztlich den geld- und machtmaxi-
mierenden Vorgaben entsprechen. Man schaue sich
nur die Lehrinhalte an, auf die vor allem Wert gelegt
wird. Was der Kapitalismus nicht braucht, wird an die
Seite gedrückt oder kommt gar nicht vor. In der Antike
hatte man verstanden – zumindest wird es so meist
verklärend und idealisierend dargestellt[8] -, worum es
gehen muss, wenn eine Gesellschaft gesund sein soll:
Musik, Tanz, Kunst überhaupt, die Mysterien und
Philosophie, das waren die Hauptgebiete der Bildung,
worin auch andere Wissensbereiche inkludiert waren,
u.a. auch die Mathematik.

Heute hingegen, wenn die Schul- und Ausbildungs-
tortur überstanden ist, können die „erfolgreichen"
Absolventen ihr Fähnchen beliebig nach dem Wind
richten. Als solcherart Bildungsprodukt, in der Regel
fern von den eigenen Quellen und vom materpaklitistischen Denken schon gar, können sie gut
Politiker werden.

Das mag nun überzeichnet sein, aber schauen wir uns
die Schulwirklichkeit, wozu heute auch die Studien-
gänge gehören, für einen Augenblick genauer an. Die
Bildungsinhalte sind nicht einmal das größte Problem.
Zwar sind sie in ihrer hierarchischen Ordnung in Haupt
und Nebenfächer keineswegs unproblematisch. Aber
das eigentliche Problem ist, dass durch sie die

---

[8] Volker Riedel, Verklärung mit Vorbehalt: Aufsätze und Vorträge zur
literarischen Antikerezeption IV (Jenaer Studien), Berlin/Jena 2015

Entwicklung des Menschen aus eigenen Quellen aus Gründen vor allem seiner zeitlichen und kräftemäßigen Vereinnahmung schwer behindert wird. Damit hängt zusammen, dass Schule sich zu einem faschistoiden Siebemonster entwickelt hat. Die Guten ins Töpfchen, die Schlechten ins Kröpfchen. Das scheint der Wahlspruch zu sein, wobei die schulisch Guten allerdings de facto die um ihr Bestes beraubten Schlechten sind. Das zeigt sich an Menschen wie Thomas Mann, Albert Einstein, Karl Jaspers und vielen anderen. Mit Zensuren, Tests - auch psychologischen - und Versetzungen bzw. Nichtversetzungen, Anpassungshilfen und anderen „sanften" Arten der Unterdrückung des Eigenen, der Quellen, wird frei nach Prokrustes nach schulgut und schulschlecht, als lobenswerter und nicht lobenswerter Mensch, als Banker verwendbar oder als Müllwerker geeignet gesiebt. Wenn dann auch noch die Eltern, ja sogar die Mitschüler in dieses Teufelshorn blasen, muss man sich nicht wundern, wenn Konkurrenz, Neid, Mobbing und AFDler entstehen, und auch, dass entsetzlicherweise etwa 500 Kinder und Jugendliche pro Jahr Selbstmord begehen. „Das geschieht aus anderen Gründen" wird dann perfiderweise gesagt. Die gibt es natürlich, aber das darf über das Verbrechen „Schule" nicht hinwegtäuschen.

Auf diese Weise wird der Minderwertigkeitskomplex staatlich gezüchtet, eine Volkskrankheit, die dem materpaklitistischen Denken entgegensteht, in dem im Gegensatz zum Groß/Klein-Denken, zur Konkurrenz, zum Niedermachen, zur Naturzerstörung usw. Mitsein, Liebe, Miteinander, Naturerhaltung zentral vorkommen.

Wie wichtig den Saturierten - dem Establishment, sagte man früher - dieser Unterdrückungsapparat ist, zeigt sich u.a. daran, dass Schulschwänzen als ein Vergehen eingeschätzt wird, das schlimmer ist als das Vergehen angeblich inkompetenter junger Menschen für den Erhalt unseres Lebens auf der Erde, die immer wärmer wird und letztlich alle tötet, zu demonstrieren. Welch ungeheure Perfidie! Inkompetent sind die angeblich kompetenten Politiker, die sich die Augen mit Euro- und Dollarscheinen zugeklebt haben und dieses Einfache nicht sehen: Die Lebenswelt der Menschen geht dem schnellen selbstverschuldeten Hitzetod entgegen. Die Anzeichen dafür sind weltweit seit vielen Jahren unübersehbar und sogar von noch nicht korrumpierten Wissenschaftlern - das sind die meisten! - bestätigt.

Nun mag es so klingen, als ob ich auch alle Lehrer/innen und überhaupt Lehrende verteufeln würde. Das ist nicht so! Ja, sie halten den Siebebetrieb in Gang. Aber nicht alle stehen hinter ihm. Viele tun ihr Bestes, um die üblen Wirkungen abzufedern. Ich kannte einen Studienrat - schon dieses Wort klingt und ist abscheulich - der mit 30 verschiedenen Kugelschreibern Sabotage betrieb: Er verbesserte damit Klassenarbeiten, damit das Siebewerkzeug der angewandten Gauß'schen Normalverteilung nicht funktionierte. Fünfen oder Sechsen gab es bei ihm nicht. Das nenne ich Heldentum.

Ich will mich hier nicht weiter über die Frage nach den Verhältnissen im auf die Schule folgenden Studium auslassen. Nur so viel: Das freie Studieren früherer Zeit wurde vom Gelddenken abgeschafft. Das „Regel-studium" hielt Einzug und damit gilt - wie bereits angedeutet - für das Studieren heute prinzipiell, was für das Schülerdasein in der Schule gilt.

Solange die Machthaber vor allem der Konservativen solche staatliche Unterdrückung brauchen, um sich in ihrem kapitalistischen Sosein, das ohne Unterdrückung nicht funktioniert, zu erhalten, ist ihnen, wie im Falle der Klimaproblematik, auch Wissenschaft völlig egal. Die Bücher z. B. des Neurowissenschaftlers Hüter, der nachweist, dass das Lernen in der Schule kontra-produktiv und dazu eine Quälerei für alle Beteiligten ist[9], anzuschauen, gar ernst zu nehmen ist diesen Po-tentaten ähnlich unappetitlich wie Gleichgeschlecht-lichkeit, ein Genderpaar und was es Abweichendes von der gesetzten Norm noch naturgegeben gibt.

---

[9] Gerald Hüter, Wie Kinder heute wachsen, Beltz-Verlag, Weinheim/Basel 2013

Den in Machtpositionen feststeckenden ist scheinbar überhaupt nicht klar, dass die Förderung der natürlichen Lebensquellen im Menschen das bekannte konkurrenzhafte Gegeneinander im Lebensersatz in ein in jeder Hinsicht hochproduktives materpaklitistisches Miteinander wandeln würde, was echten und nicht auf Spekulation beruhenden inneren und äußeren Wohlstand nach sich zöge. Der Satz „Konkurrenz belebt das Geschäft" ist falsch. Konkurrenz blockiert die Arbeitskraft. Das ist richtig. Es ist wie mit dem Verbrennungsmotor, der vom Prinzip her auch eine Fehlkonstruktion ist, da er mit sehr viel Aufwand Druck aufbauen muss, um - im Gegensatz zum Elektromotor - sehr wenig von der eingesetzten Energie bis an die Räder bringen zu können.

Soziale Reibungslosigkeit zu erreichen scheint heute vielen utopisch. Und doch gibt es Alternativschulen und überhaupt alternative Ausbildungsgänge, in denen das angestrebt wird. Ich denke vor allem an die Krishnamurti- oder Montessori-Schulen. Aber auch die sind noch nicht wirklich frei, sondern hängen in der Klaue unterdrückender staatlicher Verordnungen. (Diese Schulen und Ausbildungsgänge gäbe es übrigens nicht, wenn nicht immer mehr Menschen ähnlich wie ich denken würden.)

Dabei gibt es an sich nur wenig, was am Schul- bzw. Ausbildungssystem verändert werden müsste, damit es kein faschistoides bleibt, sondern zu einem humanen materpaklitistischen wird. Zuerst dürfte den Lernenden nicht einfach Lernstoff übergestülpt werden, Lernstoff, der dem kapitalistischen System dient, aber nicht der Entfaltung des einzelnen Menschen aus seinen eigenen Ressourcen. Zum anderen müssten Zensuren abgeschafft werden, oder mindestens einen völlig anderen Sinn bekommen. Wenn sie überhaupt noch eingesetzt würden, dann ausschließlich nur als Lernerfolgsnachweis, der grundsätzlich datengeschützt ist und nur den oder die Lernende sowie den Lehrer bzw. die Lehrerin etwas angeht. Die zum Mobbing verführende öffentliche Messlatte „besser oder schlechter" gäbe es dann nicht mehr. Auch darf die Zensur niemals als Disziplinierungsinstrument und/oder zwecks Sympa-thie- oder Antipathiebekundung seitens der Lehrenden eingesetzt werden. Und unter empfindliche Strafe gestellt werden sollte, einen Schüler auf eine Zensur, eine Zahl zu verrechnen und damit auf ein Nichts zu reduzieren bzw. auf eine mehr oder weniger funktionierende seelenlose Einheit im kapitalistischen System. Die Zeugniszahlen auf dem Papier werden dann leicht zum Brandstempel auf dem Arm.

Jetzt höre ich den Aufschrei: „Das ist doch völlig übertrieben. Bist Du verrückt, Schule und Auschwitz in einem Atemzug zu nennen? Das sind doch völlig verschiedene Dinge, die nichts miteinander zu tun haben!" Dann sage ich: „Du hast völlig recht, man darf die Quantität nicht mit der Qualität verwechseln.

Qualitativ gesehen gibt es natürlich diesen Unterschied. Leben und Tod sind unversöhnbar. (In einer spirituellen Perspektive sieht das allerdings anders aus. Aber darum geht es an dieser Stelle nicht.) Allerdings kann die Quantität - vor allem die Fülle schlechter Zensuren und der Riesenmenge der üblen Folgen für den einzelnen Menschen - in dieses gänzlich Andere - nämlich in den Tod - umkippen. Und nur bis zu diesem Augenblick des Kippens ziehe ich die fraglichen Parallelen. Also: Niemand soll denken, ich würde die schlimmsten Naziverbrechen und besonders das industrielle Morden mit der Schule oder weiteren Bildungsgängen gleichsetzen. Das wäre absichtliches Missverstehen, Verleumdung und üble Nachrede und dazu ein Beispiel für undifferenziertes Denken.

Worum es geht, finden wir, wenn wir noch einmal bis zu dem fraglichen Kipp-Punkt gehen:

Was ein Mensch an sich ist, in seinen Lebensquellen, seinen Ressourcen, ist nichts, die vorgegebene Leistungsanforderung ist im Schulbetrieb alles. Und wenn diese Quellen doch einmal offenkundig werden, fallen sie durch Nichtbeachtung dem Schulbetrieb zum Opfer. Der Weg zum gehorchenden Unmenschen, der sein Bestes verloren hat, ist dann frei.

Ohnehin ist der Zensurenfetischismus eine üble Farce. Vor ein paar Jahren - so berichtete der Spiegel - wurde ein Text von Musil einer repräsentativen Anzahl von Deutschlehrern zwecks Zensierung vorgelegt. Zwischen

1 und 6 gab es alles und das auch noch in guter Normalverteilung. Wirkliche Objektivität gibt es in dieser Hinsicht nicht, auch nicht in der Mathematik oder Logik. Objektivität zu behaupten ist eine Lüge, damit das Zuchtmittel der Zensur eingesetzt werden kann. Willkür wäre das richtigere Wort.

Und noch ein anderer Aufschrei klingt in mir nach: „Du bist doch nicht normal, kein Lehrer verrechnet einen Menschen auf eine Zensur, und ganz abgesehen davon, kann ein Schüler durch bessere Leistungen seine Zensur selbst bestimmen." Dann frage ich: Kann er das wirklich, oder können das nur speziell Schulbegabte, was dann nichts gegen meine Kritik bedeutet? Und: Sind die Zensuren im Zeugnis nicht den Verkehrsschildern im Straßenverkehr ähnlich? Gibt es nicht Zugangsbeschränkungen wie im Falle von Einbahnstraßen oder Durchgangsstoppschildern? Leiten Zensuren nicht in erlaubte und unerlaubte weitere Ausbildungen bzw. Berufe?

Gibt es z. B. den numerus clausus oder gibt es ihn nicht? (Was für die Frage nach der Begabung z. B. zum Heilen völlig an der Realität vorbei geht und nur die milliardenschwere geldbringende apparative Medizin sowie die Pharmaindustrie unterstützt). Das Wort „numerus clausus" selbst schon zeigt an, worum es geht: ums Sieben für den Kapitalismus. Und warum steht manchmal am Eingang von Supermärkten oder Discountern ein großes Schild mit der Aufschrift: „Ohne

Abitur geht nichts. Aber bei uns kannst Du alles werden ..." Ja alles, was z. B. Netto anbietet.

Nur mit sehr kleinen Zahlen auf dem Papier stehen einem Menschen wirklich alle Zugänge alias Laufbahnen alias Karrieren in die kapitalistisch vorgesehen Berufen der Gesellschaft offen. Die erringt der Funktionierende, der Quellenlose ohne Verantwortung für sich, für andere und die Natur. Die Leute, die den letzten großen Bankencrash verursachten und immer wieder darauf zusteuern, sind ein gutes Beispiel. Mit der Größe dieser Zahlen auf dem Zeugnispapier verringern sich diese Zugänge immer mehr, und diese Zahlen zeigen unter Strafandrohung ihrer Missachtung an, was ein Mensch vor allem beruflich alias geld- und machtmäßig und damit im kapitalistischen System überhaupt wert ist.

Allerdings wäre das kapitalistische System keins, wenn es nicht freies Unternehmertum gestatten würde. Jeder kann alles alternativ lernen, „sich selbständig machen" und in den freien Konkurrenzkampf eintreten. Sein Können auszuüben ist dann allerdings nur beschränkt möglich. Es gibt Fälle, in denen alternativ Ausgebildete als Hochstapler viele Jahre lang unter den Augen ihrer Kollegen, z. B. als Chefärzte, hervorragende Fähigkeiten bewiesen. Wenn dann ihre Zeugnisfälschungen herauskamen, verbrannte ihr Brandmal auf dem Papier und sie schnurrten auf kriminelle Nichtse zusammen. Heil dem aus Zensuren gesponnenen Prokrustes-Netz über der (un)zivilisierten Gesellschaft. (Natürlich plädiere ich damit nicht für hochstaplerische Betrügereien, besonders wenn sie auf Sachunfähigkeit beruhen.)

Fassen wir pointierend zusammen: Wir gingen von der Volkskrankheit des Minderwertigkeitgefühls aus, das systemimmanent im kapitalistischen Staat, der ohne dieses Grundgefühl nicht bestehen kann, mit Zwang verschiedenster Art gezüchtet wird. Dieser Zwang beginnt schon mit der Schulpflicht und reicht bis hin zum Schulknast und sogar bis zur körperlichen Gewalt.

Der Kernpunkt dabei ist das radikale Übergehen der individuellen Lebensquellen alias Begabungen, Neigungen, naturgegebene Veranlagungen des einzelnen Menschen. Stattdessen wird der Mensch in einem Bewertungssystem, das nichts mit ihm zu tun hat, abgemessen und in der Dimension schulgut/schulschlecht an beliebigen Punkten fixiert.

Daraus resultieren im allgemein verbindlichen gesellschaftlichen geld- und machtorientierten Wertekatalog die Dimensionen erfolgreich/nicht erfolgreich alias anerkannt/nicht anerkannt alias reich und mächtig bzw. arm und unbedeutend. Beide Pole sind für den, der damit identifiziert und abgestempelt wird bis, der schließlich sein Ja dazu gibt, menschenunwürdig, denn sie existieren nur um den Preis des individuellen Menschseins, das aus individuellen Lebensquellen, den Resilienzen, lebt. Solche Identifikation wird jeweils gewaltsam, zumeist durch Austrocknung der persönlichen Lebensquellen, erzwungen. Das ist ein grundgesetzwidriges staatliches Dauer-Verbrechen. Der sich ob seiner Schulleistungen großartig Fühlende ist wie der sich deshalb minderwertig Fühlende wie ein Untoter, ein Wesen ohne eigenes Leben. Beide sind in unserer kapitalistischen Gesellschaft auf Mehrung von Geld und Macht aus, auf ein Leben im Ersatz für die verlorenen Quellen. Dieses suchtartige Begehren hat wie in dem Märchen vom Fischer und seiner Frau kein Ende und führt nie zu einer wirklichen Befriedigung.

Im sich minderwertig fühlenden Menschen entfaltet dieses tief sitzende Begehren oft eine stärkere Dynamik als im erfolgreichen.

Materpaklitistischem Denken und Fühlen ist diese Sucht extrem abträglich. Denn es erwachsen aus ihr bereits auf ihrer untersten Ebene allgemein Neid, Hass, Mobbing, Konkurrenz, Feindseligkeit gegen Fremde und Großmannswahn, in dem die Unterdrückung von Frauen ureigener Bestandteil ist.

Wenn diese allgemeine Bewusstseinskrankheit von den Befallenen nicht als solche erkannt wird (was bis auf wenige Bewusstseins-Heldinnen und noch weniger - Helden nicht geschieht) und keine Gegensteuerung hin zur Erlösung der unterdrückten Quellen erfährt, kommt es gelegentlich zu einer Dynamik, in der der ent-individualisierte Massenmensch zum Verursacher bzw. Mitmacher von Mord, Krieg, Genozid bis hin zur industriellen Massentötung wird und sich schließlich auch zum alles ausbeutenden Wachstumswahn-Irren geriert, der am Ende alles Leben zerstört.

Solche Verursacher sind mit unterschiedlich stark ausgeprägten Krankheitsverläufen massenhaft unter uns. Ihr Held, in Deutschland Adolf Hitler, der als Uneigentlicher sich Zeit seines Lebens bis zu seinem Selbstmord minderwertig fühlte und der die Welt fast ganz in Schutt und Asche legte, bis ihn und „sein" Volk die Alliierten stoppten, hat die schlimmsten Aus-wirkungen seiner erzwungenen Quellenlosigkeit zum ideologischen und für Millionen Menschen darüber hinaus in aller Wirklichkeit zum unübertreffbaren Ekel-Auswuchs gebracht. Für alle entindividualisierten, naziideologisch vernagelten Massenmenschen ist er dennoch nach wie vor ein uneinholbares Vorbild.

Etwas, das materpaklitistischem Denken stärker entge-gen steht, ist wohl nicht vorstellbar.

2.   Das weiße Band und das Grundgesetz

Natürlich kann eine Familie, die strukturell aus Frau/Mann und Kindern besteht, materpaklitistisch ori-entiert sein. Dem steht an sich nichts entgegen, im Gegenteil. Rechte Ideologie meint aber etwas anderes: den Familientypus alten Stils, wie er überzeugend im Film „Das Weiße Band" gezeigt wird. Ihn wünschen die

Rechten zusammen mit verschiedenen Kirchen- und Sektenchristen scheinbar zurück.

Dass dieser Familientypus alten Stils für alle Beteiligten und letztlich für die gesamte Gesellschaft völlig kontraproduktiv ist, überzeugt unmittelbar, zumal dieser Familientypus seines strafwürdigen Ansatzes wegen, nämlich als Vergehen gegen die Artikel 1 und 3 des Grundgesetzes schon heute verboten ist. Hier lesen wir: „Die Würde des Menschen ist unantastbar" und „Männer und Frauen sind gleich".

Um den zuletzt genannten Artikel hat dankenswerterweise die Rechtsanwältin Frau Elisabeth Selbert bis über ihre Kraft hinaus gegen eine unbelehrbare Männerriege 1945 gekämpft. Erst als sie sich - zum Ärger der SPD, der scheinbar bis heute währt, - direkt an die Steine räumenden Trümmerfrauen wandte und diese ihr massenhaft zustimmten, kamen die damals führenden Politiker des Bundesrates, zu denen auch Carlo Schmidt gehörte, zur Einsicht, allerdings eher wohl ihrer Wahlchancen wegen als um der Sache willen, aber immerhin.

Gegen diese beiden Artikel des Grundgesetzes verstößt offensichtlich konservative und besonders Nazi-Ideologie massiv. Danach soll die Frau dem Mann „untertan" sein - ein blödsinniger Topos, der dem erst 1500 Jahre alten kirchlich eingeführten Adam- und Eva-

Mythos[10] entstammt. In seiner Novelle „Die Kreutzer-sonate"[11] brandmarkt bereits im 19. Jahrhundert Tolstoi dieses gefährliche Mann-/Frau-Gefälle, indem er von der verheirateten Frau als von einer Privat-prostituierten spricht, die auch kochen und Kinder hüten darf. Radikaler kann dieser Skandal kaum gekennzeichnet werden.

Vor wenigen Jahrzehnten waren solche skandalösen Familienstrukturen normal. Eine Frau war tatsächlich dem Mann untertan. Sie musste ihn fragen, ob sie einen Beruf ergreifen durfte, und war überhaupt in allem und jedem von ihm abhängig. Unbegreiflich, dass auch die Frauen der AFD dieses sie selber schädigende kulturell widernatürliche Unding wieder wollen.

Männliche Dominanz und damit die Unterdrückung der Frau, was letztlich auch auf Selbstunterdrückung auf Seiten des Mannes hinausläuft, lassen die Wurzel aus der eine gesunde Gesellschaft entstehen kann, immer krank sein. Das kann sich ändern und ändert sich bereits durch alternatives materpaklitistisches Leben.

Bin ich hierin allzu blauäugig? Ich glaube nicht, wenngleich der Weg dorthin kein leichter ist, denn er führt durch rechtsvermintes Gelände.

---

[10] vgl. Stephen Greenblatt, Die Geschichte von Adam und Eva, München 2018

[11] Lew N. Tolstoi, Die Kreutzersonate, Berlin 1891

Aber das Gute muss sich durchsetzen und wird es, denn abgesehen davon, dass die Ökoalternative immer mehr materpaklitistische Züge gewinnt, trifft man, wenngleich sehr eingeschränkt, gewisse Merkmale des materpaklitistischen Denkens bereits heute schon allgemein in der Gesellschaft an. Das hängt damit zusammen, dass sich die Menschen und Familien in den einzelnen Bundesländern viel leichter als früher begegnen können und das auch tun.

Von den allen nützenden wirtschaftlichen Verflechtungen abgesehen, sind es zunehmend auch solche privater Art. Menschen aus Bayern machen bisweilen gerne Urlaub an der Nord- oder Ostsee, und viele aus dem Norden verbringen ihre Ferien in den Alpen. Man genießt die Andersartigkeit der anderen, das Zusammenleben, die fremde und doch irgendwie heimatliche Kultur, und das nicht nur in punkto Essen, Trinken und Klima sondern auch um einiges darüber hinaus im allgemeinen sozialen Wandel. In der heutigen Zeit, in der die Strecke z. B. Hamburg-München in gut 1 1/2 Stunden mit dem umwelt-belastenden Flugzeug, das hoffentlich bald gegen einen Elektrozeppelin o.ä. ausgetauscht werden kann, zu überwinden ist, und auch mit dem Hochgeschwindigkeitszug kein Problem mehr darstellt, sind sich die Menschen der verschiedenen Bundesländer mehr und mehr begegnet, haben schon seit langem bemerkt, dass das „gar nicht so schlimm" ist, haben sich befreundet und sogar über die

Länder hinweg materpaklitistisch anmutende Familien gebildet.

Im großen Schmelztiegel der Welt, in Amerika, sind solche Verhältnisse im großen Stil üblich, und bis auf einige rassenwahnsinnige Gruppierungen (z. B. Ku-Klux-Klan, Nazis u.a.), die nicht wissen, dass wir alle von einer afrikanischen Urmutter herkommen, lebt man sogar in Texas heute friedlich und freundlich miteinander.

3. Der antichristliche, im Braunen sich verlaufende schwarze Konservatismus und die Staatsmacht

Die Gegenkräfte zur materpaklitistischen Kultur liegen nicht nur im ausgemachten Neo-Nazitum und in den Bildungseinrichtungen, die das begünstigen. Wir finden sie überall in der Gesellschaft. Es ist nicht schlimm, wenn Menschen lieber alles beim alten lassen wollen, ihren Schrebergarten mit Gartenzwerg und Volksliedern pflegen und genießen. Die wählen dann die Konservativen, welcher Couleur auch immer. Verstehen kann ich das. Immerhin besteht bei diesen Menschen mindestens ein kleiner Naturbezug, den der Irrenarzt Herr Schreber als heilsam empfahl. Und der Gartenzwerg, na ja, er weist weg von der übrigen Welt ins Märchenland. Wenn er wenigstens nicht aus Plastik wäre. Und die Lieder? Echte Volkslieder sind etwas Wunderbares. Ich bin meiner Mutter, die gerne und oft für sich selbst und mit uns Kindern Volkslieder sang, bis zum Ende meines Lebens dafür dankbar. Eine bessere musikalische Früherziehung gibt es nicht. In Volksliedern taucht in Variationen die immer aktuelle Geschichte einer Kultur auf: Liebe, Verlust, Krieg, Wander- und Naturfreuden, Arbeit, Hunger, Kälte, das Sterben, der Tod. Hitler hat das für viele, wie sogar für Heidegger, fast unbemerkt vereinnahmt und so kaputt gemacht. Als dann alles in Schutt und Asche lag, wollte verständlicherweise kein Mensch mehr „Kein schöner Land in dieser Zeit als hier das unsre weite und breit" singen und selbst „Am Brunnen vor dem Tore" kam kaum einem Menschen über die Lippen. Die deutsche Kultur war von oben bis unten verdorben und man wandte sich der amerikanischen zu. Aber in Cowboy- oder Indianerliedern fühlt man die Seele der eigenen Kultur nicht, oder nur in sehr allgemeiner Weise. Sie sind kein Ersatz. Und das gilt nicht weniger für den Jazz. Der kann faszinieren. Ich selber habe jahrelang mit amerikanischen Jazzmusikern zusammen gespielt und es ergab sich dann sogar eine fruchtbare Symbiose.[12] Wie dem auch sei. Die, die in ihren Gärten oder auch aus Anlass eines Altennachmittags wieder selber Volkslieder singen, tragen insofern zur Reinigung und

---

[12] CD „Trios und Quartette", Verlag felipen-design Göttingen

Renaissance echten Volksgutes bei, was letztlich auch dem materpaklitistischen Denken förderlich ist.

An dieser Stelle könnten sich sogar die Anhänger der Grünen, die solche Lieder eher nicht singen, weil die nicht „in" sind, und die CDU-Wähler die Hand reichen. Könnte, sage ich und spreche ausdrücklich im Konjunktiv, wenn, ja wenn diese Lieder, sofern sie von CDs abgespielt werden, nicht einer weiteren Verschmutzung unterworfen wären: der des kommerziellen Kitsches, aufgepeppt mit elektronischen Effekten, synkopierten Rhythmen, auf Schlagerton reduzierten Stimmen, künstlich verstärkten Instrumenten und was des Elends mehr ist. Und natürlich zieht die Kirche wieder mal mit. Der Kirchenkitsch wächst und wächst bis in die Wolken, aber sicher nicht zu Gott. Das ist übel und sehr zu bedauern. Noch viel mehr muss allerdings bedauert werden, dass dem Schrebergartenidyll nicht nur Konservatismus entsprießt, sondern oft auch neues Nazitum, wobei die Übergänge fließend sind.

Hier stellt sich der angeblich christliche Konservatismus, der den Revolutionär Jesus auf Gartenzwergmaß verniedlicht, und der so bis in die braune Ecke reicht, selbst ein Bein. Zu einem Konservativen gehört aber nicht zwangsläufig das Nazitum und auch nicht der Kitsch, weder der in der Kirche noch der im Volkslied noch der in der großen klassischen Musik, die gegenwärtig allerdings durch cross-over und schöne Welt-Kitschkonzerte an die Grenze des Verderbens und darüber hinaus ebenso der Versauung unterworfen ist. Zwar hört für Konservative die Musikgeschichte im 19ten Jahrhundert auf, leider, aber sei's drum. Noch immer sind die Konservativen die Bewahrer deutscher und gelegentlich sogar europäischer Hochkultur.

Viel bedenkenswerter ist etwas anderes, nämlich dass Konservative in der Regel von ihrem ängstlichen bewahren wollenden Bewusstseinszuschnitt her nicht nur alles ablehnen, was ihnen zuwider läuft, sondern in abschottender Weise oft andere Auffassungen, und seien sie noch so überzeugend, abblocken, wo sie nur können. Man denke nur an die katastrophalen unter-drückenden Ideen bezüglich der Vielzahl der Familien-formen, denn bei Konservativen gilt bis in die Gesetze hinein nur die traditionelle Ehe, was sich gegenwärtig allerdings etwas zu ändern scheint.

Abgesehen von der Familienfrage: Zieht man die Fäden konservativen Denkens weiter bis hin in die „große" Politik, sieht man, wohin bewahren wollender Konservatismus führen kann und auch tatsächlich führt. Man sieht das an den abschreckenden Entwicklungen in Amerika, in England, in Österreich, in Italien, in Ungarn und auch in Spanien, wo Konservative ihr eigenes Land in unterschiedlicher Weise verderben und Europa schädigen, bis an den Rand des Zerbrechens bringen.

Um zu bewahren brauchen Konservative viel Geld und die Macht. Die Schutzmauer um ihre Schrebergärten kostet. Und sie brauchen Macht in den Gesetzen und auch in Bezug auf Polizei und Militär. Das ist bei den Konservativen offenkundig sehr wichtig, worüber in der Politik dann leicht das eigentliche Christentum der Bergpredigt und der Seligpreisungen zugunsten des kirchenkonservativen „C" im Parteinamen vergessen wird. Dann ist alles, was nach Veränderung riecht, links, es ist skandalös und gottlos, riecht nach Sodom und Gomorra und wird, wenn anderes sich z. B. bei Demonstrationen zeigt, möglichst mit unverhältnismäßiger Polizeigewalt niedergemacht. Die Macht dazu ist da, weil das Volk noch immer überwiegend die Konservativen wählt; gottseidank allerdings nicht mehr so eindeutig wie früher.

Allerdings will ich das Kind nicht mit dem Bade ausschütten. Es gibt auch den guten Konservatismus. Einiges wurde schon aufgezählt, anderes noch nicht. Dazu gehört die Energiewende, die Angela Merkel durchgesetzt hat, und auch ihre Willkommenskultur 2015. Das war großartig und lobenswert. Eine Konservative zeigte sich hier progressiv, weil sie das C im Parteinamen CDU, das für christlich steht, ernst nahm. Auch so etwas liegt in der Möglichkeit eines guten Konservatismus.

Als das geschah, dachte ich: Jetzt erleben wir und die Welt, dass es wieder ein humanes Deutschland gibt und nicht nur das finstere der Nazis von damals und ihrer schlimmen Kinder von heute.

Der gute, vom primären Gelddenken und von kirchen-religiösen Wahnvorstellungen befreite bergpredigt-treue Konservatismus ist nötig, solange er nicht in großer Dominanz auftritt, und solange er durch offenes grünes und linkssoziales Denken ausbalanciert wird. Das könnte in der Parteienlandschaft heute der Fall sein, ist es aber gegenwärtig nicht.

Das ist übel, denn die nicht reformierten konservativen kapitalistischen Bewusstseinsstrukturen färben sich bei einigen Konservativen braun ein. Und da beginnt das eigentliche Problem. Im braunen Denken nämlich werden Familien, die vom Standartmodell „Ehe, Mann, Frau, Kind" abweichen oder Leute, die das „Vaterland", die „Heimat" nicht gegen Ausländer - von Neonazis „Kanaken", „Spaghettifresser", „Neger" usw. genannt - wehrhaft „verteidigen" nicht nur nicht akzeptiert, sie werden als „perverse Schweine" „Volksverräter" usw. diskriminiert und mobbingartigen Angriffen ausgesetzt, ja sogar mit dem Leben bedroht und auch tatsächlich hingerichtet.

Dass vor Mord bei den Neonazis traditionsgemäß nicht zurückgeschreckt wird, erlebte und erlebt die deutsche Gesellschaft besonders im Zusammenhang mit Asyl-suchenden und ebenso gegenüber politisch Anders-denkenden und entsprechend Handelnden. Dann geschieht es, dass naziideologisch Verblendete auf solche Leute, aber im Grunde auf alle, die ihnen nicht passen, z. B. auch auf Künstler, und überhaupt Intellektuelle auch mit Mord reagieren. Euthanasie, Babyn Jar, und Auschwitz lassen grüßen. Neben regelrechten Hinrichtungen sind Brandanschläge, das zu Tode-Knüppeln und -Treten die Mittel der Wahl. Die brennenden Flüchtlingsunterkünfte, die NSU-Morde bis hin zum politischen Mord an Walter Lübcke jüngst in Kassel, der als Regierungspräsident die Ausländer-situation befrieden wollte, haben das furchtbar gezeigt. Und so geht es immer weiter. Erst kürzlich las ich, dass Petra Köpping, sächsische Staatsministerin für Gleich-stellung und Integration, mit Mord bedroht wird. Und dann im Oktober 2019 der vorläufige Gipfel, der einmal mehr den offenen Antisemitismus der Neonazis zeigt: Der alle Schranken der Versöhnung zerschlagende Mord in Halle durch einen dieser Wahnsinnigen, der ei-gentlich alle jüdisch-gläubigen Menschen in der dorti-gen Synagoge ermorden wollte und nur durch die standhafte Tür des Gebäudes davon abgehalten wurde.

Angesichts all dessen fragt man sich verzweifelt, warum die Regierung nicht endlich drakonisch gegen Neonazis vorgeht und erst ein wenig beginnt, zaghaft die Augen zu öffnen, nachdem einer von ihnen umgebracht wurde und Schreckensverhältnisse wie in der alten Nazizeit auf offener Straße zu erleben sind. Die 199 anderen Morde berührten bis dahin den Dornröschenschlaf der Regierenden kaum.

Es ist mehr als schlimm, dass die Regierung den Na-zisumpf nicht sofort trockenlegt. Wie ist das angesichts der entsetzlichen Nazivergangenheit Deutschlands im Land der großen Komponisten, Dichter, Maler und Denker möglich? Wenn die Gesetzeslage ein drakonisches Durchgreifen nicht hergibt, was sie meines Wissens allerdings tut, und sich braunes Denken dahinter verschanzen kann, muss diese juristische Leerstelle eben verändert werden. Notstandsgesetze wurden schon einmal erlassen. Das zu rechtfertigen, sollte der Blick auf Auschwitz, Babyn Jar und auf das, was Nazis gegenwärtig anstellen, völlig ausreichen.

Dass das nicht geschieht, wirft die Frage auf: Sitzen in der Regierung, den Behörden und im Polizeiapparat tatsächlich, wie gelegentlich durch Einzelfälle belegbar - man denke an den beamteten Verfassungsschädiger im Bundesamt für Verfassungsschutz Hans Georg-Maaßen - noch immer verkappte Nazi -Sympathisanten oder gar Neonazis, und wird deshalb die Bevölkerung nicht vor diesen Wahnsinnigen ausreichend geschützt?

Es scheint fast so: Gelegentlich werden im Fernsehen rechtsextreme, eindeutig kriminelle Leute gezeigt, die Hitler-Parolen brüllen, den entsprechenden Gruß zeigen, sich lautstark antisemitisch und überhaupt ausländerfeindlich äußern, und es werden diese Leute sogar mit Namen genannt. Auch opulente Nazi-Versammlungen der verschiedenen Art bis hin zu rechten Rockfestivals sind zu sehen und schrecklich zu hören. Und das geht so schon über Jahre. Viele dieser Leute haben ein langes Vorstrafenregister. Alles das darf vor allem seines übel volksverhetzenden Charakters wegen nicht sein. Und doch findet alles das unbehelligt statt, oft sogar unter Polizeischutz. Unfassbar! Wenn überhaupt einmal zugegriffen wird, viel passiert diesen Leuten nicht. Wenn das so weiter geht, wird man ihnen tatsächlich noch Orden verleihen.

Richtig wäre, all das bis hin zu den Großversammlungen von vorn herein zu verbieten und dafür zu sorgen, dass diese Verbote strikt befolgt werden. „Das geht nicht, das ist gesetzlich nicht möglich" wird dann gesagt. Angesichts der deutschen Nazi-Vergangenheit muss das dennoch möglich sein und wäre es wohl auch, wenn der politische Wille dahinter stünde. Aber solange Nazisympathisanten wie Maaßen an den Hebeln der Macht sitzen, ist die Chance dafür gering. Alle, auch die Sympathisanten, sollten, falls es trotz Verbotes zu rechten Zusammenrottungen kommt, wegen Land-friedensbruchs inhaftiert werden. Ohne solche Zeichen deutlicher Gegenwehr wird man das braune Denken und Handeln wohl nicht korrigieren können.

Merkwürdig: In Zeiten der RAF war das durchaus möglich. Und mehr noch: Bevor es die RAF gab, wurde gegen die Studentenbewegung der 68er derart vor-gegangen, dass als Reaktion daraus die RAF entstand: Die Studenten und Studentinnen wurden brutal von Polizisten, alias fehlgeleiteten Männern, nieder-geknüppelt. Die rechte Staatsgewalt tobte sich mitunter henkermäßig aus:

Benno Ohnesorg wurde von Kurass, einem Polizisten, hingerichtet, einfach so in den Hinterkopf geschossen, und der wurde freigesprochen! Unfassbar. Und nicht nur er. Auch die Polizisten, die einem Mediziner das Leisten erster Hilfe verweigert hatten, kamen straflos davon. Die Altnazis in Regierung und Justiz konnten das bewirken. Auch Rudi Dutschke wurde von einem Rechtsradikalen namens Bachmann in den Kopf geschossen. Bachmann war einer der Fanatiker, die sich aufhetzen ließen. Aber wurde gegen ihn oder gegen das Hetzblatt „Bildzeitung" des rechtslastigen Axel Springer, die das Klima für Pogrome schuf, staatlicherseits vorgegangen? Nein! Genau wie heute in Amerika: Auch Trump schafft ein Klima für Gewalt.

Nur wir Studenten wagten damals etwas dagegen zu tun. Wir versuchten die Auslieferung dieses üblen Hetzblatts, das zeitweilig an den „Stürmer" der Altnazizeit erinnerte, zu verhindern, und zwar, was wir nicht ahnten, unter Einsatz unserer Leben. In Hannover war ich dabei und habe kriegsähnliche Zustände erlebt: Springer-Lastwagen, die in die Menge der auf der Straße vor den Springer-Hallen im Dunklen sitzenden Menschen fuhren, egal ob es Verletzte oder gar Tote geben würde.

Vor Jahren wurde ein Gandhi-Film gezeigt, in dem mich besonders eine Szene stark berührt hat: die englische Kavallerie ritt auf die riesige Menge indischer Demonstranten zu. Als die Soldaten die Menschen erreichten, um ungebremst in die Menge hinein zu reiten, scheuten die Pferde, gingen vorn hoch und ließen sich trotz Sporen, Gebrüll und Peitsche nicht zu diesem Verbrechen bewegen. Ja, Tiere können menschlicher als Menschen sein, besonders wenn Menschen unter der Droge einer Indoktrination stehen. In Hannover zeigte sich, dass die Pferde im Gandhi-Semidoku-Film im Gegensatz zu den unmenschlich handelnden LKW-Fahrern „Menschlichkeit" besaßen.

Nach den Lastwagen kam die rasende blutrünstig prügelnde Polizei. Nein, keinen Decknamen: Es waren junge Männer in Uniform: entmenschte Menschen ideologisch verblendet, notfalls zum Mord bereit. Auch ich wurde geschlagen. Aber für mich viel schlimmer: auch junge Frauen wurden brutal zusammen-geknüppelt und getreten, auch als sie bereits am Boden lagen, bluteten und um Hilfe schrien. Die Helfen-wollenden wurden weggeknüppelt und weggetreten, und auf die Fliehenden wurden Hetzjagten veranstaltet (wie jüngst in Chemnitz vom rechten Pöbel, der sich von der Polizeigewalt damals in Hannover nicht sonderlich unterschied). Und welch eine Teufelsfreude bei den Wahnsinnigen, die hinter ihren Polizeimasken Frauen, oft fast Mädchen noch in zerrissener Kleidung, foltern konnten. Das Nazireich war wieder aus-gebrochen. Ideologie, Gruppenzwang verstärkt durch Uniformen, und Bestialisierung vermittels durch-schlagender Stammhirnimpulse waren wieder einmal die Kombination, die besonders in Babyn Jar zum Blutrausch geführt hatte.

Ich war fassungslos. Ich weinte und schwor mir: Nie wieder setze ich mein Leben ein für einen Staat, der noch immer nazibraun und mörderisch ist.

Ähnliches erlebte ich in der Hippie-Zeit, der Zeit der Blumenkinder. Da versuchten sie es mit Liebe, ja geradezu christlich. Über das Ergebnis des Kommunikationsangebots kann ich nur Hohn lachen. Natürlich unnatürlich kam es hier zur Gewalt seitens jener jungen Männer in der Mitgefühl und Verantwortung tötenden auf Uniformen reduzierten Einsatz-Gruppe der christlich-konservativen Staatsmacht.

Ich erlebte, wie Mädchen mit Blumensträußen auf diese entmenschten Kerle zugingen und wie manche dieser Mädchen und jungen Frauen mit dem Gummiknüppel brutal von diesen Wahnsinnigen ins Gesicht geschlagen wurden, brüllend, ergänzt mit Ausdrücken wie Hure, Fotze usw. Gleichzeitig traten diese Staatsteufel mit Folterrecht (denn bestraft wurden die Irren so gut wie nie) die Frauen in den Unterleib und wenn irgend möglich in die Genitalien. Wieder einmal regierte das Stammhirn. Die Erlaubnis dazu kam durch die Ideologie, den Befehl und die Gruppe. Blut floss und der Schritt zum Blutrausch und Massaker war hauchdünn geworden.

Solche Ausschreitungen kamen selten vor Gericht und wenn doch, ließ man diese Kriminellen laufen, oder sie wurden zu 50 Pfennig Geldstrafe verurteilt. Da war mir wieder einmal klar, wo der Feind steht und auch wie die RAF entstand.

Ja, der Staat kann das, aber nur gegen die sogenannten Linken, und kann es nicht, wenn er sich gegen die Braunen wenden müsste. Aber damit kein Missverständnis aufkommt: Keinen Augenblick lang verstehe ich unter drastischem Vorgehen gegen das neue Nazitum die Gewaltexzesse, die sich der Staat vermittels Polizeigewalt gegen solche, die gegen rechts demonstrieren, erlaubt.

Ist solche Gewalt vorbei? Nein. „Eine Doku der ARD[13] widmet sich diesem Thema. Die Macher zeigen drei Fälle, in denen Menschen unrechtmäßige Gewalt von Polizisten beklagen. Eine Lehrerin wird ohne ersichtliche Grundlage von Polizeibeamten gefesselt und eingesperrt, ohne Vernehmung, ohne ihr den Grund für die Festnahme mitzuteilen und ohne sie unverzüglich einem Haftrichter vorzuführen. Ein angesehener Rechtsanwalt gerät vor einer Gaststätte im niedersächsischen Jever zufällig in einen Polizeieinsatz. Ein Beamter schubst ihn rabiat, der Jurist stürzt, knallt mit dem Kopf auf den Boden, stirbt wenige Tage später an den Folgen. In Berlin erschießt ein Beamter vor einer

---

[13] Staatsgewalt – Wenn Polizisten zu Tätern werden. Recherche in Kooperation mit dem Spiegel am 29.9.2019 in der Reihe „ARD-Exklusiv"

Flüchtlingsunterkunft einen Iraker, angeblich weil dieser mit einem Messer bewaffnet auf einen mutmaßlichen Kinderschänder losgehen wollte. Bloß: Ein Messer haben Zeugen nicht gesehen.

Drei Fälle. Jährlich werden in Deutschland über 2000 Fälle von mutmaßlich rechtswidriger Polizeigewalt angezeigt, nur ein Bruchteil, nämlich rund 40 davon, landet vor Gericht. Doch die Dunkelziffer ist offenbar deutlich höher. An der Ruhr-Universität Bochum wird das Phänomen rechtswidriger Polizeigewalt systematisch und wissenschaftlich untersucht.[14] Die Forscher gehen inzwischen von bis zu 12.000 Fällen mutmaßlich rechtswidriger Übergriffe durch Polizeibeamte aus." [15]

Karl Jaspers, den die Altnazis zusammen mit seiner Frau Gertrud fast vergast und verbrannt hätten, wenn die Amerikaner nicht kurz zuvor in Heidelberg einmarschiert wären, war aus Deutschland schon Jahre zuvor aus dieser Stadt, wo er Senator der dortigen Universität nach dem Krieg war, nach Basel geflohen. Die Universität hatte sich für Ihn als Nazi-Nest entpuppt. Als Nest jener Mörderbande, die ihm sogar den Kauf eines Grabes für seine Frau und ihn verweigert hatten.

Noch einmal: Ist es angesichts all dessen verwunderlich, dass die RAF entstand, um gegen diesen noch immer vorwiegend braunen Staat zu kämpfen? Gewalt

---

[14] https://kviapol.rub.de/
[15] Daniel Wüstenberg, STERN online, 29.07.2019

schafft Gegengewalt, so wie aus Liebe Gegenliebe entsteht.

Natürlich hätten besonnenere Kräfte versucht, die Dynamik der Gewaltspirale abzubremsen. Das geschah aber nicht. Staatlicherseits bekämpfte man, was man nun selber tat. Das war keine Lösung. Und schließlich floss Blut auf beiden Seiten und es gab Tote bis der Staat siegte.

Heute erleben wir mir den Neonazis ähnliche Gewalt wie mit der RAF damals. Natürlich sind die Ideologien verschieden, aber die staatliche Antwort darauf bleibt aus oder ist nur in Verbalbekundungen da.

Ein Land, das Babyn Jar, Auschwitz und den bisher größten Krieg der Weltgeschichte veranstaltet hat, muss wirksame Gegenmaßnahmen ergreifen können, ohne blutrünstig werden zu müssen. Das tut es aber nicht. Allerdings, wenn es nicht geschieht, wird die Polarisierung zwischen Nazis und Anti-Nazis bald so stark, dass es unter Umständen zum Bürgerkrieg kommen könnte.

Einige, allen voran die kapitalgesteuerte Rechte bis hin zu den Neonazis, wollen das und dann natürlich auch die Herrschaft, vielleicht sogar die Weltherrschaft wie Hitler. Und die Reichen verdienen weiter, während andere verbluten.

Besonders nach meiner Erfahrung der Polizeigewalt in Hannover, wo durch das Miterleben der offiziell als legitim erachteten Knüppelorgien das filmisch dokumentierte an entmenschter Grausamkeit nicht zu überbietende Zu-Tode-Knüppeln und Erschießen hilfloser nackter Menschen in Babyn Jar schockartig wieder in mir aufsprang, wurde mir endgültig klar, dass meine außerparlamentarischen Demonstrationsbemühungen in die für mich falsche Richtung gelaufen waren.

Ich setzte einen deutlichen Punkt, beendete meine politischen Bemühungen dieser Art und begann, mich verstärkt auf meine inneren Quellen zu beziehen.

Kapitel 4 - Lernen und Wachsen

Abschnitt 1
Kindheit und Jugend

Mein politischer Wandel war allerdings insofern kein Wandel, als ich mich nur von der Art und Weise, gegen den braunen Staat vorzugehen, verabschiedete, ohne meine Einsichten und mein antinazistisches Wirken zu verändern.

Schon als Kind hatte ich nach dem Sinn des Lebens gefragt. Eines Morgens, als ich, um zur Schule zu gehen, am Alten Rathaus in Göttingen vorbei ging, kam mir die Antwort, die meinen ganzen Körper durchfuhr. Es war eine sehr einfache Antwort, die in mein damaliges Bewusstsein sprang, die dennoch prinzipiell bis heute gilt:

Der Sinn des Lebens liegt darin, Gutes zu tun.

Aber was ist das genau? Und: wie und wo damit anfangen? Es dämmerte mir, dass ich an dieser Stelle nur weiterkommen konnte, indem ich erst einmal im eigenen Bewusstsein anfangen würde.

Glücklicherweise hatte ich ausbaufähige Ressourcen, und zwar nicht nur in der Musik, sondern auch innerhalb meiner philosophischen Interessen.

1. Jesus

Wenn ich, wie Jaspers es tat, Jesus zu den großen Philosophen zähle, war Jesus der erste Philosoph, der mir bereits in meiner frühen Kindheit begegnete. Gerne ging ich, während meine Eltern am Erwachsenengottesdienst teilnahmen, zum Kindergottesdienst in die reformierte Kirche in der Karspüle, wo ich durch den alten Pastor Kamlah, aber auch durch junge Gemeindehelferinnen, die biblischen Geschichten des Neuen und später auch die des Alten Testaments kennenlernte. Die Kirche faszinierte mich auch als Rundbau, der in der Anordnung der Sitzbänke rondellartig gestaltet war. Das Gefühl, zusammen zu gehören und geborgen zu sein, wurde dadurch verstärkt. Zwar gab es eine Kanzel, die Teil des Altars war, aber niemanden, der von dort redete. Der Pfarrer Kamlah stand ganz unten und sprach liebevoll und herzlich. Das empfand ich als wohltuend. An das, was er sagte, kann ich mich nicht erinnern. Die Idee, es könne das alles Theater sein, schlechtes Schauspiel, wie ich es andernorts erlebte, kam in mir in der reformierten Kirche nie auf. Das Falsche hatte ich in der Marienkirche sattsam erlitten. In der gab es zwar eine schönere und bessere Orgel als in der reformierten Kirche, aber die Bosheit des SA-Mannes Runte, der in der Marienkirche Pfarrer war, hatten in meinem kindlichen Kopf keinen Gedanken aufkommen lassen, dass derart Teuflisches auch Kirche sein könnte.

Das wurde später anders, als ich begriff, dass teuflische Kräfte in der Kirche oft die Oberhand hatten.

2. Eltern, Wald und Nazis

Von vornherein gab es für mich in meiner Kindheit zwei antagonistische Einflüsse, gestaltende und missgestaltende Kräfte: Die Liebe und Fürsorge meiner Eltern auf der einen Seite und auch den Wald - und auf der anderen den Satan Hitler, die vielen Nazis, den Krieg, Auschwitz, Babyn Yar, und die äußerlichen und inneren Trümmer. Das war die Schreckensmacht, die bis in die Kirchen gedrungen war und die Schwester meines Vaters fast verschlungen hatte.

3. Tod des Vaters, Armut und Häme

Der Schicksalsschlag, der mein bis dahin trotz allem behütetes Leben in Scherben schlug, war der Tod meines Vaters, als ich 10 Jahre alt war. Was übrig blieb, war eine weinende Frau allein mit 4 Kindern, von denen ich der Älteste war, in nun wirklich großer Armut. Meine Mutter war, wie wir alle, unaufrichtbar zerstört. Dass sie und damit auch ihre Kinder in den Augen vieler Nachbarn Flüchtlinge aus dem äußersten Ostpreußen waren, Fremde, Hinzugezogene, Vertriebene, die hier nicht hingehörten, erlebte ich zum ersten Mal. Für diese Leute spielte es auch keine Rolle, dass meine Familie väterlicherseits, obwohl angeblich „hugenottisch", zu den Alteingesessenen gehörte. Es war das ein weiteres Trauma, das uns heimsuchte und das auch unsere Mutter, obwohl sie in jeder Hinsicht bis über ihre Kräfte tat, was sie konnte, nicht abzuwenden imstande war. Ich war wie der berühmte aus dem Nest gefallene Vogel.

4. Vergebliche Zuflucht

An Pastor Kamlah konnte ich mich nicht mehr wenden, er war gestorben. So versuchte ich in meiner Not bei einem anderen Pastor und dann, als das fruchtlos blieb, bei vielen Pastoren Hilfe zu bekommen, es mögen an die hundert gewesen sein. „Was ist der Tod", fragte ich und „Was ist die Liebe?" Sie waren freundlich, einige sogar ehrlich bemüht, aber helfen konnte mir keiner.

5. Musikalische Erweckung

Dennoch war ich nicht orientierungslos. Das lag nicht nur an den Jesus-Geschichten, die mir halfen, sondern an einem sehr frühen Erweckungserlebnis, das mir, als ich 7 Jahre alt war, unvermittelt widerfuhr. Es war Sommer und meine Eltern waren mit uns Kindern am

Wiesenbecker Teich bei Bad Lauterberg. Gott, war das wunderbar nach dem Wahnsinn, der Angst, der Todesbedrohung, was alles nun hinter uns lag. An einem Wegesrand traf es mich stärker wohl, als mich ein Blitz hätte treffen können. Es saßen dort zwei Frauen, die unbeschreiblich schön zweistimmig zur Gitarre sangen. Mich erschütterte das bis in den tiefsten Kern meines jungen Lebens. Noch heute bin ich davon berührt.

6. Die Gegenmacht zum Bösen

Ich lief weinend in den Wald wie ein Jahr davor schon, nachdem ich zwangsweise die Auschwitz- und Babyn Jar-Filme gesehen und schockartig erlitten hatte. Das also, so fühlte ich, war die Gegenmacht zu meinem traumatischen Kindheitserlebnis und überhaupt zu allem Bösen. In mir war der Musiker geboren.

7. So etwas möchte ich auch komponieren

Ein paar Jahre später erfuhr ich von der Aufführung des Weihnachtsoratoriums von Bach. Meine Klavierlehrerin hatte mir dringend geraten dorthin zu gehen, um es zu hören. Aber ich hatte kein Geld. Also schlich ich mich in die Jacobi Kirche in Göttingen, wo Hans Jendis zu der Zeit Kantor war, und versteckte mich in der Kanzel.

Schon die ersten Klänge des „Jauchzet frohlocket" trafen mich mit ungeahnter Wucht. Wieder, aber diesmal noch stärker als damals, als ich die beiden Frauen am Wiesenbecker Teich singen und Gitarre spielen hörte, durchbebte die Musik meinen Körper. Jetzt konnte ich nicht in den Wald laufen. Was also tun? Gar nichts. Es war die Musik, die etwas tat, sie zog mich in die Höhe, und nun stand ich als kleiner Junge auf der Kanzel, hörte die ungeheure Musik, sah den Chor, das Orchester, den Dirigenten - und das Publikum sah mich, ohne dass ich das bemerkte. „So etwas möchte ich auch komponieren", dieser Wunsch brannte sich in mein Herz. Viele Jahre später hatte sich dieser Wunsch erfüllt und ich glaube, zumindest zwei meiner Oratorien, „Der gefundene Mensch" und mein Requiem „Awuun" können den entsprechenden Werken des Kollegen über den Wolken die Hand reichen.

8.   Die Nacktheit des Wahren

Diese Nacktheit des Wahren in meiner Kindheit: meine Befreiung durch das Jesus-Philosophiegefühl, das im Kern eine wundersame Liebe war, und meine Befreiung durch die Musik, das wollte ich mir unbeschmutzt bewahren, ein Leben lang. Das ist mir, meine ich, gottseidank im Wesentlichen auch gelungen, obwohl es auch lehrreiche Irrwege gab, wie meine politische Praxis des körperlichen Kampfes gegen die mörderische Springer-Presse.

9. Sechs Einflüsse

Es waren diese sechs Einflüsse in meiner Kindheit: das elterliche Behütetsein, die Lieder meiner Mutter, die beiden singenden Frauen am Wiesenbecker Teich und das Weihnachtsoratorium von Bach, der Wald sowie meine erste Begegnung mit der Philosophie Jesu, die meine entscheidenden Lebenskräfte weckten und mich aus diesen Quellen wachsen ließen.

10. Pfadfinder

Aber es gab da noch etwas: Ein Freund, seit meinem 6. Lebensjahr, der noch immer über all die Jahrzehnte mein Freund ist, Bernhard, dessen Mutter eine meiner ersten Musiklehrerinnen war, fragte mich eines Tages, ob ich Lust hätte, mit zu den Pfadfindern zu kommen. Ich hatte keine Ahnung, was das ist, aber ich kam mit. Hier lernte ich kennen, was gute Freundschaft und auch Gemeinschaft mit mehreren Gleichaltrigen sein konnte. Das Singen gefiel mir sofort, manche hatten auch ausgeprägt schöne Stimmen und es berührte mich besonders, wenn z. B. gesungen wurde „Ja wenn Gitarren klingen und die Burschen singen und die Mädchen fallen ein ..." Mädchen allerdings gab es leider nicht, ich sehnte mich danach, aber es gab hier keine, außer eben in diesem Lied. Allerdings gab es musikalisch gesehen, etwas Ähnliches: hohe und tiefe Knabenstim-

Aquarell: Henning Loeschcke (13 Jahre) - Femarn

men. Es dauerte nicht lange, da hatte ich das Gitarrenspiel zur Liedbegleitung erlernt, war, wie man mich halb belustigt, halb anerkennend nannte, „Liedermeister" und leitete bald auch einen kleinen mehrstimmigen Chor, wo wir zunächst hauptsächlich Kanons, zwei-, drei- und vierstimmig sangen. Später kamen wir auch

Aquarell: Henning Loeschcke (13 Jahre) - Femarn

zu leichten Kantaten. Die Weihnachtskantate von Vincent Lübeck führten wir sogar in der Nikolausberger Kirche öffentlich auf.

Als ich vor der Aufführung den Berg über Felder hoch zur Kirche stapfte, dachte ich an den Tod, und wie kurz und letztlich ungeschützt das Leben ist.

Die Pfadfinderzeit hat mir viel Gutes gegeben, indem sie das, was in mir schon angelegt war, variierte und vertiefte: Außer dem Singen von tausend und mehr Liedern war es das Wandern und Übernachten im Wald, was meine Verbundenheit damit auf unzähligen „Tippelfahrten" weiter verstärkte.

Die Gruppe, die Freundschaft, das Singen, das Sich-Helfen, das Füreinander-da-Sein, wenn wir auf wochenlangen Wanderungen durch Sonne, Regen, Hitze und Kälte, durch Wälder und Felder unterwegs waren und in der Nacht auf offenem Feld oder im Feuerzelt schliefen. Darin brannte dann meistens ein Feuer, das durch eingeteilte Nachtwachen beschützt wurde. Das alles stärkte mich körperlich und auch geistig im Sinne einer von Grund auf wohltuenden Ergänzung meiner sonstigen Entfaltung. Die Gegengewichte zu meinen Erschütterungen nahmen zu, und meine Trauer nahm langsam ab. Dank ihm, der diese Gruppe gegründet hat!

Tagsüber wurde gewandert, und oft sangen wir nicht ohne Grund: „ ... mit brennenden Füßen, die Unrast zu büßen, die tags uns befiel, bald, Kameraden, ist Ruh." Dann war auch irgendwann tatsächlich Ausruhzeit. Allerdings wurden zunächst Nadeln ins Feuer gelegt, das später fürs Kochen, Singen und Vorlesen gebraucht wurde, und mit den glühenden Nadeln ging es den Blasen an den Füßen zuleibe.

Irgendwann kam ich auf die Idee, ein Singspiel für Puppen zu komponieren. Henning, aus dem später ein hervorragender Maler wurde, gestaltete die Gott-Puppe, den roten und den weißen Teufel, eine Schwester, den Vater die Mutter und verschiedene weitere Figuren.

Foto und Puppenbau: Henning Loeschcke (14 Jahre)

Wir waren fast noch Kinder, aber das Stück wurde fertig, wurde eingeübt und kam in der reformierten Kirche in Göttingen sogar zur gut besuchten und ebenso gut angenommenen Aufführung.

Abschnitt 2

Vielgliedriges musikalisches Wachstum, Kampf und Förderer

1. Göttingen, Musiklehrerinnen und Musiklehrer

Sehr früh schon hatte ich Musikunterricht: Bei meinem Großonkel Paul, als ich 5 oder 6 war, erst auf der Geige, wobei mich am meisten dessen Liebe zum Geigenspiel berührte, dann Gitarren- und Klavierunterricht bei Frau *Hildegard Wutka*, der Mutter meines Freundes Bernhard, und etwas später bei Frau *Roswita Venus*, bei der ich das Klavierspiel von Grund auf musikalisch und technisch erlernte. Sie war es auch, die mir im Klavierunterricht Hindemith und Bartok, deren Musik mir bis dahin unbekannt war, näherbrachte. Die Fünftonstücke von Hindemith spielte ich besonders gerne, aber auch alle Stücke aus allen Bänden des Mikrokosmos1von Bartok. Besonders ist mir der Stampftanz in Erinnerung geblieben, der zeitweilig mein Lieblingsstück war.

Etwas später kam ich zu Frau *Lilli Friedemann* in ihre Improvisationsgruppe. Schon vordem hatte ich in dieser Richtung Versuche gemacht; hier nun bekam ich neue tragende Entwicklungsimpulse.

Meine Musiklehrerinnen hielten es nach einiger Zeit für gut, wenn aus mir ein Kirchenmusiker würde. Ganz Unrecht hatten sie nicht. Sie dachten dabei an einen geldbringenden Beruf, da sie wussten, dass mit avancierten Kompositionen nur die Müllabfuhr winkte. Aber sie wollten trotzdem hinsichtlich meiner sich ankündigenden kompositorischen Fähigkeiten sicher gehen. Also schrieben sie an *Werner Immelmann*, der damals an der Hochschule in Hannover lehrte, schickten ihm auch Noten von mir und fragten, ob irgendetwas an diesen Noten „dran" sei. Den Antwortbrief habe ich heute noch und halte ihn in Ehren. *Werner Immelmann* empfahl meinen Lehrerinnen, sich weiter um ihren „Schützling" zu bemühen, denn „aus den eingereichten Arbeiten spricht die echte Begabung heraus."

Auch die damals bekannte Cembalistin *Edith Picht-Achsenfeld,* die auch an der Hochschule in Hannover unterrichtete, bekam durch *Werner Immelmann* meine Noten in die Hände und äußerte sich nicht weniger positiv.

Das war mein erster „Ritterschlag", so jedenfalls erlebte ich diesen Zuspruch.

Ermutigt durch solch gute Nachricht vermittelten mir meine Lehrerinnen Orgelunterricht beim temperamentvollen Kirchenmusikdirektor *Hans Jendis,* der in der Jacobikirche in Göttingen als Organist und Kantor tätig war. Ich habe ihn als rauh-herzlichen, kleinen, leicht beleibten Mann in Erinnerung, der sich rührend um mich kümmerte, sogar helfend bis in Kindergeldangelegen hinein. Ich mochte ihn und auch sein Orgelspiel sehr, und da er mir auferlegte, in seine Jacobi-Kantorei zu kommen, sang ich dort jahrelang regelmäßig und lernte dabei die bedeutendsten Werke der großen Kirchenmusik kennen. Durch diesen Förderer konnte ich auch bald meine Organistenprüfungen ablegen, wodurch ich Kantor und Organist wurde. Letzteres übe ich bis heute aus.

Ich glaube, ich war 14 oder 15 Jahre alt, als ich immer stärker werdend das Bedürfnis hatte, meine Kompositionsfähigkeiten zu vervollkommnen. Meine Instrumentallehrer/innen konnten mir keine weiteren Anregungen geben und empfahlen mir, mich beim akademischen Musikdirektor *Hermann Fuchs* vorzustellen. Ich nahm also meine bis dahin geschriebenen Noten und ging in den dritten Stock der Aula am Wilhelmsplatz, wo Herr Fuchs seine Seminare abhielt. Ich klopfte - einigermaßen synkopisch zum Rhythmus meines Herzens - an eine große, schwere, graue Holztür, erhielt aber keine Antwort. Also öffnete ich diese Tür, was nicht ganz einfach war, und stand plötzlich inmitten eines laufenden Seminars, in dem es gerade um Harmonielehre ging. Alle schauten mich an und Hermann Fuchs fragte verwundert, aber nicht unfreundlich: „Was willst denn Du?". „Komposition lernen." Fuchs lachte. „Hier gibt es aber nur Kontrapunkt, Harmonielehre, Formenlehre und Gehörbildung, reicht Dir das erstmal? „Ja, ganz unbedingt", sagte ich, und dachte „Gott, ist das viel." Fuchs lachte wieder und diesmal auch alle anwesenden Musikwissenschaftsstudenten. Dann sagte er belustigt: „Setz Dich irgendwo dazwischen."

So kam ich dazu, als Teenager alle diese Fächer über mehr als drei Jahre erfolgreich zu studieren, was ich dann später, als ich bei der Musikwissenschaft landete, wo ich die systematische bei *Heinrich Husmann* studierte, schon hinter mir hatte. Als die Lernzeit bei *Hermann Fuchs* zu Ende war, wollte er mir meinen Lernerfolg bescheinigen. Ich wusste nichts damit anzufangen, sagte aber nichts. Mir war nur wichtig gewesen, etwas zu lernen und nicht Scheine zu bekommen, wozu das? Für mich war das eine Entwertung. Gelernt hatte ich für mein kompositorisches Weiterkommen, für meine Seele, die das brauchte, nicht für den Erhalt schnöder Papiere. Ich nahm sie aus Höflichkeit trotzdem und irgendwo liegen sie in irgendwelchen Schubladen oder Kartons bei mir noch immer. Von meinen Kommilitonen wurde ich, der ich in diesen Seminaren immer zu den Besten zählte, gefragt, ob ich verrückt sei.

2. Hinterzarten, Kurt Thomas

Noch immer hatte ich vorzüglichen Orgelunterricht bei *Hans Jendis*, und ich kam über Pachelbel, Buxtehude und Bach bis zu Reger. Eines Tages empfahl mir Jendis, die Chorleiterkurse von *Kurt Thomas* in Hinterzarten im Hochschwarzwald in der Nähe von Freiburg im Breisgau zu besuchen, um Chor- und Orchesterleitung zu lernen. Das tat ich über einige Jahre und hatte zugleich auch noch Gesangsunterricht vom Leiter des Tölzer Knabenchors *Schmidt-Gaden* und ebenso Violinunterricht von *Wilhelm Isselmann*. Obwohl ich auf der Geige noch immer Anfänger war und leider bis heute nur kleine Fortschritte gemacht habe, unterrichtete er mich und schenkte mir seine Schule des Geigenspiels Band 1 sowie sein Spielbuch.

Kurt Thomas war zu der Zeit ein braungebrannter Naturbursche, der rückenschwimmend gelegentlich Partituren studierte. Er war der Auffassung, dass ein Chor grundsätzlich auswendig zu singen habe. Dadurch kämen die sichersten und ausdrucksstärksten Aufführungen zustande. Er selbst hatte wohl mit seinem Thomanerchor in Leipzig diese Erfahrung über Jahre gemacht. Seine Chorleiter-Dirigierschule besonders im Praxisteil zu verinnerlichen und alles so zu üben, bis es selbst „im Schlaf" sofort abrufbar wäre, wurde mir sehr empfohlen. Daran hielt ich mich, studierte seine Bücher gründlich und konnte ihm bald meine erworbenen Fähigkeiten präsentieren.

Ich lernte viel in den Meister-Kursen von *Kurt Thomas*, und als ich Jahre später in die Verlegenheit kam, in Hamburg am Staatstheater meine Kammeroper „Eisbruch Herzrot" zu dirigieren, kam mir das sehr zugute.

3. Hannover, Gunter Lege

Das war nun alles gut und förderlich, aber vom eigentlichen Kompositionsstudium war ich zu der Zeit noch weit entfernt. Das änderte sich als ich - wiederum auf Empfehlung meiner Musiklehrerinnen und -lehrer, die eingesehen hatten, dass ich wirklich kein kirchenmusikalisches Hauptamt bekleiden wollte - auf *Gunter Lege* traf, der an der Hochschule für Musik in Hannover Kompositionslehrer war. Von ihm erhielt ich einen für mich ausgezeichneten Unterricht über viele Jahre. Der Anfang bestand darin, dass er mir eine opulente Liste mit zeitgenössischen Komponisten und dringend hörensnotwendigen Werken gab und mir auftrug, mich opulent damit in zweierlei Weise zu beschäftigen: Ich sollte alles oft - an die hundertmal - hören und außerdem die dazu gehörenden Partituren mitlesen und studieren. Das tat ich mit Hilfe meines Lehrers über Monate und Jahre, und in gewisser Weise tue ich das für mich noch immer. Das Schaffen Hindemiths und Bartoks hatte ich bereits vorher kennengelernt und selbst Musik von beiden bereits gespielt. Die Konzerte für Bratsche bzw. Violine und Orchester aber auch die Mathis-der-Maler-Sinfonie von Hindemith liebte und liebe ich sehr, und bei Bartok waren es ebenfalls die Violin- aber auch die Klavierkonzerte, die mich geradezu elektrisierten.

4. Werke schreiben, das wollte ich

Auch so etwas wollte ich komponieren, natürlich in meiner Weise, was ich Jahre später auch tat.

Und dieses Bedürfnis wuchs, als ich auch Strawinskys Musik kennen lernte - nicht zuletzt dadurch, dass ich einiges davon spielte. Sein unglaubliches Orchesterwerk „Sacre du printemps" raubte mir den Atem. Ich weiß nicht, ob ich Jahre später mit meinem großen Orchesterwerk „Sawitri" eine derartige Höhe kompositorischer Qualität erreicht habe.

Auch Henzes Oper „Elegie der jungen Liebenden" rührte mich tief an, und Schönbergs Violinkonzert erschlug mich fast.

Jetzt hier weiter zu gehen und z. B. über die gerade für unsere Zeit hochaktuelle Oper „Moses und Aaron" von Schönberg zu berichten oder über die wunderbare Turangalîla-Sinfonie von Olivier Messiaen, die man auch als Klavierkonzert hören kann, sowie von hunderten anderer Werke großer Komponisten des 20. Jahrhunderts, würde ein eigenes Buch erfordern.

5. „Illegales" Hören, das fehlende Geld und die Rettung

Das Hören von großer Musik, was Gunter Lege mir dringend empfohlen hatte, beschränkte sich natürlich nicht nur auf Tonträger. Bereits Jahre früher hatte ich, von einem unbeherrschbaren Drang getrieben, mangels Eintrittsgeldes nicht nur in der Jacobikirche die Praxis illegalen Hörens entwickelt. Diese Fähigkeit übertrug ich nun auf Konzerte des Göttinger Sinfonieorchesters und auch auf solche der hervorragenden Kammermusikreihe von Frau Ilse Weichert in der Aula am Wilhelmsplatz. Das war mitunter äußerst schwierig und nicht ohne mannigfaltige Tricks und unter Herzklopfen zu bewerkstelligen. Irgendwann fiel diese Praxis jedoch trotz aller Vorsicht auf. Scheinbar hatten sich mehrere Ordner an den Konzertsaaltüren zusammengefunden, um mich zu schnappen, was dann peinlicherweise auch geschah. Man nahm die Personalien auf, und ich versprach anderntags wieder zu kommen. Das tat ich auch.

Zu meinem Erstaunen wurde ich jedoch nicht der Polizei, sondern dem Kulturdezernenten der Stadt, *Konrad Schilling,* übergeben. Der war sehr freundlich, hörte sich alles an, war auch erfreut, als er erfuhr, dass ich bei den Pfadfindern gewesen war, wohl weil er selbst als Jugendlicher die Pfadfinderei geliebt hatte. Er half mir in verschiedener Hinsicht, wo er nur konnte. Zunächst bekam ich von der Stadt ein Stipendium für sämtliche Kulturveranstaltungen nicht nur für musikalische, sondern auch für solche im Theater. Es war für mich wie im Schlaraffenland. Außerdem besorgte er mir eine Stelle als Junglehrer an der Göttinger Musikschule Weiske, so dass ich mein kleines Gehalt als Kirchenorganist deutlich aufbessern konnte. Und nicht genug damit, er schaffte es auch, dass mein erstes Orchesterwerk „Fadensonnen" vom Göttinger Sinfonieorchester aufgeführt wurde. Der Erfolg dieser Aufführung war riesig: Es gab einen Skandal und eine Diskussion mit dem Publikum bis tief in die Nacht. Zusammen mit meiner Musiklehrerin Frau *Wutka* schaffte es *Konrad Schilling* ein paar Jahre später sogar, mich als Musikdozent an der Göttinger Pädagogischen Hochschule unterzubringen.

Mein Kompositionslehrer *Gunter Lege*, der von der Sache erfuhr, setzte sich in dieser Hinsicht nun auch für mich ein, mit dem Erfolg, dass ich parallel zu meiner Musiklehrertätigkeit an der Göttinger Pädagogischen Hochschule ebenfalls als Musikdozent in der Fachschule für Sozialpädagogik in Hannover, unterrichten konnte.

Reich wurde ich dadurch nicht, aber ich konnte jetzt von all dem leben.

6. Das Amu-Ensemble:

Martin-Aike Almstedt, David Loewus, Dietmar Traeger, Dietburg Spohr, Uta Grunewald, Allan Praskin

Zu meinen wichtigsten Entwicklungsschritten gehörte, dass ich in dieser Zeit bald selber die Kunst der Improvisation mit meinem Freund Dietmar Traeger als

von links: Martin-Aike Almstedt, Dietburg Spohr,
Dietmar Traeger und Allan Praskin

Perkussionisten und mir am Flügel Jahrzehnte entwickelte. Wir brachten es bis zu Konzertreisen und hatten das, was „Erfolg" genannt wird. Auf 12 CDs ist unser Zusammenspiel noch heute zu hören. Es ist eine Musik, die mir gefällt und zu der ich noch heute stehe. Auch hier war es wiederum *Konrad Schilling*, der für unser erstes öffentliches Konzert die Stadthalle öffnete und für eine gute Öffentlichkeitsarbeit sorgte. Unsere ersten Auftritte fanden so vor einem großen Publikum statt. In späteren Jahren wurde aus unserem Duo das AMU-ENSEMBLE, dem neben Dietmar Traeger und mir die Sängerin Dietburg Spohr und die Amerikaner Allen Praskin (Altsaxophon), Ron Kushner (Percussion) und David Loewus (Klarinette) angehörten. Auch dieses Ensemble war nicht ohne Erfolg. Im Gegenteil. Wir hatten Auftritte im Rahmen internationaler Festivals quer durch Deutschland. Eine Fülle von CDs bezeugt auch das bis heute.

7. Soloauftritte von Dietburg Spohr und David Loewus

Besonders stechen aus dieser Zeit auch die Solo-CDs, die Dietburg Spohr mit verschiedenen meiner Terzette aufnahm, hervor. Aber auch David Loewus konzertierte mit meinen Klarinettenwerken erfolgreich in Deutschland und Amerika und brachte ebenfalls vieles davon auf CDs. In meiner CD-Produktion von annähernd 50 CDs sind diese Solo-CDs eine besondere Kostbarkeit.

8. Almstedt/Loewus-Duo und Projektensemble

Als Dietmar starb, was ich bis heute als sehr schmerz-
lich empfinde, endete das Amu-Ensemble. Aber ich habe diesen Strang meiner musikalischen Tätigkeit nicht
verdorren lassen. Mit meinem Freund David Loewus

Martin-Aike Almstedt (Flügel) und David Loewus Klarinette)

spielte und spiele ich bis heute gerne meine Musik.
Auch in diesem Duo konzertierten wir im In und Ausland. Schließlich erweiterte sich unser Duo um die Sängerin Uta Grunewald. Im Laufe der Jahre wuchs das Ensemble bis hin zur Besetzung für große Intermedialwerke, von denen wir „Die Reise zum Mars" im Rahmen der „Expo 2000" aufführen konnten, was später
auch vom MDR-Fernsehen mehrfach gesendet wurde.

Als David wieder zurück nach Amerika ging, zerfiel auch dieses Ensemble, das allerdings auch von vornherein mehr als Projekt-Ensemble angelegt war.

Schon zuvor, aber besonders seit David wieder in Amerika lebt, spielte und spielt bis heute David alle Werke, die ich für ihn schrieb bis hin zu zwei Konzerten für Klarinette und Orchester in hervorragender Weise, für eine Fülle von CDs ein, was u.a. im Internet dokumentiert ist. Die hohe Qualität seines virtuosen Spiels beglückt und erstaunt mich immer wieder.

Martin-Aike Almstedt (Flügel) – Soloabend in Eschede 1996

9. Auftritte als Pianist und Organist

Martin-Aike Almstedt - 16. Internationalen Orgeltagen Göttingen 1997

Als David wieder zurück in seine Heimat ging, geschah aber auch noch etwas anderes. Meine Solokarriere als Pianist und Organist begann. Aus dieser Zeit stammen meine Auftritte als Pianist, der zugleich mit den Füßen 12 verschieden große Flachgongs über Transmissionen bediente. Bald gab ich Konzerte im In-und Ausland als Solist aber gelegentlich auch mit anderen Musikern zusammen, so auch mit der Konzert- und Opernsängerin Uta Grunewald, die schließlich die Hauptrolle in meiner

Kammermusikoper „Eisbruch Herzrot" am Hamburger Staatstheater sang und später im Rahmen der Expo 2000 in Hannover für den Solopart zuständig war, wo mein Intermedialwerk „Der Flug zum Mars, oder der Zorn Gottes" aufgeführt wurde. Wir hatten noch viele internationale musikalische aber auch noch gänzlich anders geartete Auftritte, was schließlich in eine lang-

jährige Beziehung mündete, aus der unser Sohn Anjou hervorging. Durch Uta lernte ich auch die phantastische ukrainische Pianistin Yevgeniya Schott, kennen, die sich engagiert für mein Klavierwerk einsetzte. In meinem filmischen Intermedialwerk „Herbstvögel über Riuwenthal", das ich zusammen mit meinem Freund Bernhard Wutka entwickelte, wirken beide Musikerinnen ausführlich mit.[16]

---

[16] DVD „Herbstvögel über Riuwenthal", Verlag felipen-design Göttingen

10.   Eleonore Gördes-Faber, Ulla Fleck

Dass es zu allen diesen Konzerten bis hin zu Großveranstaltungen kommen konnte, liegt auch, aber nicht nur, am passageren finanziellen und organisatorischen Mitwirken der Stadt Göttingen, der Jacobikirche und des Landes Niedersachsen, sondern maßgeblich an der Arbeit von Eleonore Gördes-Faber, Nori, die über Jahre das Management für uns erfolgreich betrieb. Vordem als Galeristin in Fulda tätig führte sie eine langjährige Beziehung mit meinem Freund und Kollegen Dietmar. Über ihn lernten wir uns kennen. Schon vorher, aber besonders nach dem Tod Dietmars, managte sie sämtliche unserer musikalischen Auftritte, die zu der Zeit ohne sie nicht zustande gekommen wären.

Eine weitere entscheidende Hilfe, ohne die ebenfalls - besonders hinsichtlich der Aufführung meiner Intermedialwerke - kaum etwas möglich geworden wäre, war meine leider inzwischen verstorbene amerikanische Tante Ulla, eine der Schwestern meiner Mutter. Sie unterstützte meine Arbeit, wenn es nötig wurde - was oft der Fall war - in großzügiger Weise finanziell und bekundete ihr Interesse auch dadurch, dass sie immer wieder den Ozean überwand, um uns und unsere Veranstaltungen zu besuchen.

11. Darmstadt: Karlheinz Stockhausen, György Ligeti, Die Brüder Kontarsky, Erhard Karkoschka, Helmut Lachenmann

Vor und zum Teil auch noch gleichzeitig mit dieser Entwicklung besuchte ich auf Anraten meines Kompositionslehrers *Gunter Lege* über einige Jahre die Darmstädter Musikkurse für zeitgenössische Musik. Die Kursgebühren waren derart hoch, dass ich sie trotz meiner besseren Einkünfte nicht bezahlen konnte. Das Ende vom Lied war, dass ich auch von der Stadt Darmstadt ein Stipendium bekam. Danke kann ich nur sagen, Danke an all meine Förderer. Danke von Herzen. Im Rahmen dieser hochrangigen Unterrichts- und Konzertveranstaltungen in einer Atmosphäre erlesensten Geistes traf ich über Jahre hinweg auf *Stockhausen, Ligeti, die Brüder Kontarsky,* und auch (als Gasthörer) *Erhard Karkoschka,* der an der Musikhochschule Stuttgart unterrichtete und bei dem ich später dort Notationsunterricht hatte.

Über Karkoschka, der meine Vokalmusik für nicht aufführbar hielt, kam es zur Bekanntschaft mit der jungen Sängerin *Dietburg Spohr,* die den Wert meiner damaligen Arbeiten erkannte und es tatsächlich schaffte, meine komplizierten Liederzyklen „Du bist mein Spiegel" und „Sie spielen damit, kein Spiel zu spielen" und auch den Sopranpart in meinem Quadrupelkonzert

„Hülsenblut" hervorragend in hunderten Konzerten zu singen und auch auf CDs aufzunehmen. Dafür bin ich

Dietburg Spohr

Der Händler

Er zieht seinen Karren schwer
vom Hafen her den Karren.
Schwer vom Hering schwer
vom Hafen her der Händler.
Sie kaufen seinen Karren leer,
am Markt die Leute kaufen leer,
den Karren, den der Händler schwer
vom Hafen her gezogen hat.
Regen fiel und Möwen schrien,
So habe ich den Händler gesehn.
Ich fand kein Schiff
So habe ich den Händler gesehn.
Ich und der Händler ziehen schwer
am Karren schwer vom Hafen her.

Text: Wolfgang Deutscher

ihr noch heute dankbar. Es sind bemerkenswerte Stücke, die auf Texten des an Schizophrenie erkrankten Dichters Alexander Herbrich alias Ernst Herbeck beruhen, bzw. im Terzett „Sie spielen damit, kein Spiel zu spielen" auf Texten des gleichnamigen Buches von R. D. Laing. Mit ihm traf ich mich einige Jahre später in London, um ein gemeinsames Opernprojekt zu planen. Er wollte den Text schreiben, ich die Musik. Dazu kam es leider nicht, weil Laing bald danach starb.

Aber zurück zu *Stockhausen* und *Ligeti* und ihrer faszinierenden Musik. Hier erlebte ich Funken musikalischen Geistes wie vordem nie. Von beiden Komponisten war ich stark fasziniert. Von Ligetis Kompositionen vielleicht zu der Zeit etwas mehr als von denen Stockhausens. Allerdings war es Stockhausen, der nicht nur locker dreisprachig unterrichtete, sondern auch hervorragend hörend probte und dirigierte. Besonders seine Arbeit mit dem Fromme-Vokalensemble habe ich noch gut im Gedächtnis. Diese Probearbeit machte mich sprachlos. Anlässlich der Einstudierung seiner Vokalkomposition „Stimmung" korrigierte er Obertonverläufe. Es dauerte, bis auch ich die hören konnte und staunte, als es dann ging. Kompositorisch habe ich von Stockhausen allerdings vor allem gelernt, wie ich es nicht machen würde. Seine serielle Herangehensweise war meinem Wesen fremd. Als er später zu Formelkomposition kam, rückten wir mehr zusammen und noch mehr als ich mit meinem Ensemble Stücke von ihm spielte. Als er seine missverständlichen Äußerungen über den fürchterlichen 11. September machte, verstand ich, was er daran bewunderte: um Gotteswillen nicht die Katastrophe, die er - wie wohl fast alle - verdammte und zutiefst bedauerte. Es war die minutiöse Planung, die Struktur des Verbrechens. Ich hätte mich nicht unterfangen, ausgerechnet davon derart zu abstrahieren und fand das ziemlich unmöglich. Ich schrieb ihm mein Verständnis und auch mein Kopfschütteln. Scheinbar gehörte ich zu den wirklich ganz wenigen, vielleicht war ich sogar der Einzige, der ihn in seinen redundanten Äußerungen verstand, ohne seine in dieser Hinsicht eingeschränkte Ansicht billigen zu können.

Im Laufe der Jahre fand ich meinen sehr eigenen musikalischen Stil, den ich später in meinem Buch „Kompendium meiner musikalischen Sprache" kompositionstheoretisch darstellte. Im Gegensatz z. B. zu Stockhausen, der von vorn herein kompositionstechnisch orientiert komponierte, ging ich dabei von meiner musikalischen Spielpraxis aus. Die Theorie war für mich beim Komponieren keineswegs unwichtig, aber ein zweiteres. Der berühmte Satz von Boulez: „Mich interessiert, wie ein Stück gemacht ist, nicht wie es klingt", gilt für mich in der umgekehrten Bedeutung, wenngleich Analyse auch für mich unverzichtbar ist.

Im Rahmen dieser Kurse traf ich auch immer wieder *Helmut Lachenmann* als Kursteilnehmer, zu dem sich ein gutes Bekanntschaftsverhältnis auch über die gemeinsame Kurs-Zeit hinaus entwickelte. Seine Musik, von der ich zuerst das Orchesterstück „Air" hörte, gefiel mir und noch mehr später seine Oper „Das Mädchen mit den Schwefelhölzern". Zwischen dieser Musik und meinen Natursinfonien für polygenuine Instrumente entdecke ich, obwohl die Werke völlig unterschiedlich konzipiert und auch in materialer Hinsicht kaum vergleichbar sind, mannigfaltige Klangüberschneidungen.

Viel habe ich in diesem Rahmen auch von den Brüdern *Kontarsky* gelernt, nicht nur im Hinblick auf ihre außergewöhnliche Fähigkeit im Prima-Vista-Spiel, was besonders für *Alfons Kontarsky* galt, sondern vor allem in klaviertechnischer Hinsicht. Aber auch im Hinblick auf meine eigene Selbstsicherheit ging ich aus seinen Kursen gestärkt hervor. Ich legte ihm mein erstes Klavierkonzert vor. Er schaute sich das an und ähnlich wie Karkoschka bezüglich meiner Vokalkompositionen war er der Meinung, dass eine bestimmte Passage unspielbar sei, jedenfalls im geforderten Tempo. Man habe errechnet, dass nur soundso viele Töne pro 10 Sekunden spielbar seien, hier aber würde deutlich mehr gefordert. Das wollte ich nachprüfen. Ich übte die Passage einige Zeit, und ein Jahr später spielte ich sie ihm vor. Alfons Kontarsky hatte eine Stoppuhr dabei. Ich musste mein Spiel noch zweimal wiederholen. Dann sagte er kurz und trocken: „Es geht tatsächlich, Gratulation."

Für mich war Darmstadt ein unerhörter Anregungsschub, der mich mir in der eigenen musikalischen Sprachfindung endgültig nahe brachte, auch und gerade dadurch, dass ich bei aller Faszination diesen großen Komponisten und ihrer Werke gegenüber wusste, was ich nicht wollte: seriell, elektronisch oder gar computergeneriert - wie ich Letzteres dort durch Lejaren Hiller erlebt hatte -, komponieren.

An der Aufführung meines Orgelstücks „Ich habe Sterneninseln gesehen, die in Gruppen zusammenbrachen" wurde mein Mich-Absetzen von den Meistern deutlich, als es in Darmstadt im Seminar von Günter Becker zur Aufführung kam. Sein musikalischer Beitrag bestand darin, dass er eine nackte Frau sich in einem Plastiktuch wälzen ließ und die dabei entstehenden Geräusche den

Tönen und Geräuschen eines Instrumentalensembles zuführte. Die Nähe meines Sterneninsel-Stückes zur „Volumina"-Komposition von Ligeti - aber auch seine deutliche Distanz dazu - wurde beifällig festgestellt.

12. Paris: Olivier Messiaen

Auch die Kompositionskurse von *Olivier Messiaen* in Paris habe ich besucht. Ich hatte extra dazu in Belgien in Brüssel bei Verwandten mein Schulfranzösisch aufzubessern versucht, weil ich gehört hatte, dass Messiaen zwar Deutsch konnte, es aber in Erinnerung an seine KZ-Gefangenschaft in Deutschland während der Nazizeit nicht mehr hören oder gar sprechen wollte. Das verstand und respektierte ich sehr. Nun machte ich anlässlich der Kompositionskurse Messiaens in Paris dort einen Kursbesuch. Auch von ihm und seiner Musik war ich beeindruckt. Er spielte aus verschiedensten Partituren alles vor, dann wurde analysiert. Das beeindruckte mich, aber fast noch mehr seine katholische Spiritualität und seine Naturnähe, besonders seine kenntnisreiche Vogelliebe. In seinen wunderschönen Klavierkonzerten und in den Orgelwerken, besonders dem Vogelkatalog, aber auch in seiner Assisi-Oper kommt das für mich deutlich zum Ausdruck.

13. Steffen Fahl

Ein besonders großes Glück hatte ich, als ich eines Tages einen Anruf von einem früheren Klavierschüler erhielt, den ich, als er noch ein Teenager war, unterrichtet hatte. Er war auf diesem Weg weitergegangen und an der Grazer Hochschule Pianist geworden. Aber seine Spezialität, die schon zur Zeit seines Unterrichts bei mir in Erscheinung trat, war die Musikelektronik, besonders die Sample-Technik. Auf diesem Gebiet hat er es zu hoher Könnerschaft gebracht. Er fragte mich, ob ich Musik für ihn hätte. Inzwischen ist viel von meiner Musik im Internet unter seinem Label „klassik resampled" in guter Nachbarschaft zu hunderten Kollegen aus der Musikgeschichte zu hören. Von kleinen meiner Solowerke für die Viertelton-Gitarre, Klarinette, über Klavier- und Orgelwerke, Orchesterkonzerte mit Solo-Klarinette, Solo-Violine, Solo-Klavier, sowie über Vokal- und Orchestermusik bis hin zu Ausschnitten aus meinen großen Oratorien hat Steffen Fahl alles realisiert und veröffentlicht. Das ist in hohem Maße verdienstvoll. Ich halte seine Arbeit für geradezu kulturrettend in einer Zeit, in der es fast aussichtslos ist, ein avanciertes Werk im Konzertbetrieb unterzubringen.

14. Hartmut Büscher

Ein anderes Glück ist bis heute, dass ich vor gut 30 Jahren in einer Notsituation Hartmut Büscher begegnet bin. Es sollte mein Konzert für Flügel und Orchester mit mir als Solisten aufgeführt werden. Die Noten dazu waren längst fertig, den Klavierpart hatte ich allerdings, obschon fertig, ähnlich wie Mozart in seinen Klavierkonzerten nur skizzenhaft notiert. Mir als Solist genügte das, weil ich sowieso auswendig spielen wollte. Dem Dirigenten, Herrn Simonis, genügte die unfertige Partitur jedoch nicht. Ich will an dieser Stelle nicht berichten, wie die Angelegenheit sich weiterentwickelte. In meinem Buch „Wort und Werk"[17] habe ich das beschrieben. In diesem Kontext relevant ist jedoch, dass Hartmut Büscher mir seine Hilfe bei der schnellen Vervollständigung der Partitur anbot. Als Computerspezialist, der mit Notenprogrammen umgehen konnte - was damals außerhalb meiner Fähigkeiten lag - half er mir, die Partitur in Ordnung zu bringen. Dieser erste Kontakt wuchs sich nicht nur zu einer freundschaftlichen Beziehung aus, sondern zu einer bald unverzichtbaren Zusammenarbeit. Von ihm lernte ich den Computer als Notenschreibmaschine zu bedienen, was mich von

---

[17] Martin-Aike Almstedt, Wort und Werk, Verlag felipen-design, Göttingen 2014

meinem Zeichentisch, an dem ich jahrelang meine Partituren in Reinschrift gebracht hatte, erlöste. Aber nicht genug damit. Da er fähig ist, selber Programme herzustellen, schuf er für mich zwecks Erleichterung meiner Arbeit sein „Diachrom-Programm", durch das mein speziell entwickeltes, hundert Tonleitern umfassendes Modalsystem nicht nur für den praktischen Gebrauch handhabbarer gemacht wurde. Transpositionsvorgänge aller Art konnten nun quasi automatisch erfolgen. Die unkreative Nebenarbeit beim Komponieren wurde so erheblich erleichtert und verkürzt.

Wenn eine Partitur fertig komponiert ist, muss sie für den Druck formatiert werden. Das ist dann noch einmal eine langwierige Arbeit, die spezielle Programm-Kenntnisse voraussetzt. Auch diese Arbeit übernahm und übernimmt Hartmut Büscher und entwickelt die Partituren bis zum fertigen Exemplar. Über seinen Verlag sind sie dann weltweit erhältlich. Entsprechendes gilt auch seit Jahren für meine CDs und auch Filme. Hier arbeiten wir mit unserem Freund Thomas Körber, der in Göttingen ein Tonstudio unterhält, zusammen.

Auch bei der Erstellung meiner Bücher steht mir Hartmut Büscher mit Rat und Tat, mit Kritik und Anregungen zur Seite.

15. Thomas Körber

Thomas Körber, seine Frau Christiane, deren Hunde und schattenspendenden Walnussbaum kenne ich seit 30 Jahren. Thomas nahm damals Gitarrenunterricht bei mir, und Christiane kam einige Stunden zur Ki-Yogischen Beratung. Es entwickelte sich ein freundschaftliches Verhältnis, und als Thomas und Christiane ihr Studio für Ton- und Mediengestaltung aufbauten, kamen wir auch beruflich enger zusammen. Im Laufe der Jahre sind neben hunderten professionellen Konzertmitschnitten und Studioaufnahmen bisher rund 50 meiner Musik- und Sprach-CDs in diesem Studio entstanden. Schließlich konnten auch hochwertige Musikfilme entstehen; so vor allem mein zweistündiger Musik- und Philosophiefilm „Herbstvögel über Riuwenthal", an dem auch unser Freund Bernhard Wutka durch eigene künstlerische Beiträge mitwirkte. Die Mitarbeit von Thomas und Christiane ist aus meinem Schaffen nicht wegzudenken.

15. Dank

Ich will die kleine Skizze meines musikalischen Werdens an dieser Stelle beenden. Sie scheint mir für dieses

Buch, in dem es schwerpunktmäßig um das *Eine*, das *Andere* und das *Andersandere* geht, ausreichend zu sein. Nur soviel noch: Durch diese und überhaupt das Zusammenwirken mit allen in diesem Zusammenhang genannten hilfreichen Menschen konnte sich der musikalische Keim in mir entwickeln und Früchte tragen, die nun im Rahmen größerer internationaler Festivals über das Internet weltweit zu hören und zu sehen sind. Auch das ist in meinem Buch Wort und Werk dokumentiert und ebenso in verschiedenen Filmen, u.a. in „Herbstvögel über Riuwenthal", ein Film, der auf Youtube zu sehen und zu hören ist.[18] Ihnen allen gebührt mein herzlichster Dank und sicher nun auch der Dank derer, die meine Werke hören und sehen können.

---

[18] s. Fußnote 16

Abschnitt 3

Weitere Kräftigung geistig, seelisch, körperlich

1. Karunananda

Eine weitere große, meine frühe Jesus-Begegnung erweiternde Kraft wurde in mir unverhofft geweckt, als ich, fast noch Teenager, dem indischen Yogalehrer Karunananda begegnete. Was mir, als ich ihm gegenübersaß, durch den Kopf ging war: „Der hat die Probleme, die ich habe, nicht. Und doch ist er ein Mensch wie ich. Warum hat er scheinbar überhaupt keine Probleme. Und warum muss ich Probleme haben? Das will ich nicht. Dass es auch anders geht, sehe ich, wenn ich ihn sehe." Er gab mir segensreicherweise einige Übungen. Für den Körper zeigte er mir die Yogaübung „Fisch" und für die Seele eine Meditationsübung. Außerdem sollte ich hin und wieder eine Zitrone auspressen und den Saft davon trinken. Ich befolgte das, obwohl es mir ein paar Tage lang albern vorkam, aber nach einigen Wochen spürte ich bereits Erleichterung in mir. Durch diesen Yogalehrer und seinen Kreis, wozu auch mein Freund Wolfgang bis heute gehört, empfing ich im Laufe der Jahre eine Yogaausbildung mit vielen Körper- und Meditationsübungen. Bald fing ich auch an, die große Literatur dazu zu lesen, die Upanishaden und die Bagavadgita, ein Studium, das sich später unter berufenen Zen-Lehrern bis in die Zen-Literatur fortsetzte. Auch diesen Pfad habe ich nie mehr verlassen.

2. Jiddu Krishnamurti

Schon als ich noch Yoga bei Karunananda lernte, war es wiederum Gunter Lege, der mir eines Tages ein Buch von Jiddu Krishnamurti, nämlich „Einbruch in die Freiheit" mit den Worten in die Hand gab: „Ich glaube, das ist wichtig für Dich". Ja, das war es wirklich. Wenig später fuhr ich zusammen mit meiner Freundin Uta 1980 nach Saanen in die Schweiz. Es war eine wunderbare Zeit, und auch in den folgenden Jahren bis zum Tod Krishnamurtis besuchten wir dort seine Seminare. Wieder kam es in mir zu einem Urerlebnis. Ich sah und hörte einen weißhaarigen, sehr feinen und sehr geistvollen zierlichen Mann. In einfacher gewöhnlicher Sommerkleidung mit blauem Hemd und braungrauer Flanellhose saß er auf einem einfachen Holzstuhl auf einem grob zusammengezimmerten hölzernen Podium und hielt seine Vorträge. Aber es waren keine Vorträge der üblichen Weise. Er sprach völlig frei, und was er sagte, war spürbar wahr. Das traf meine Seele. Es war wahr und nicht einfach nur richtig. Hier sprach jemand aus seiner erleuchteten Seele. Ihm das, was er zu allen Themen, die auch die mir bekannten Philosophen bearbeitet hatten, abzunehmen, fiel nicht schwer. Es tat unendlich gut, wenn ich ihn über den Tod, die Liebe, oder die Fehlwege zur Bewusstseinstransformation sprechen hörte. „Jeder (Mensch) sei sein eigenes Licht", oder „die Wahrheit ist ein pfadloses Land". Allein schon diese beiden Sätze wahr vorgetragen, gaben mir einen gewaltigen philosophischen Anstoß. Ja, mein eigenes Licht war ich weitgehend schon immer. Das war mein Glück und ist es heute noch, aber begründet auch mein Anderssein, was mitunter schmerzt. Und auch dämmerte mir durch sisyphosartiges, gedankliches Scheitern, dass der Weg zur Wahrheit im Kern kein gedanklicher sein kann. Aber wie denn sonst? Durch Meditation. Das wusste ich auch und praktizierte sie seit Jahren. Aber hier sah ich nun einen, der auf diesem Weg, der kein Weg war und es auch nie sein sollte, sehr weit fortgeschritten war, ohne dabei geschritten zu sein. Ich glaube, hier verstand ich den Kern der Spiritualität, ein Wort, das Krishnamurti allerdings ablehnte. Das in meinem Leben zu vertiefen, war ich fortan bemüht und wusste, wenn ich darüber schreibe, dann aus dem meditativen Gestimmtsein, das Wahres ermöglicht. Ob das gelang, sei dahingestellt.

In Saanen traf ich auch auf den indischen Yogalehrer Ravakan, der im Rahmen der Krishnamurti Veranstaltungen Yogaunterricht gab. Daran nahm ich teil und konnte dadurch meine Fähigkeiten diesbezüglich erheblich erweitern.

3. Yehudi Menuhin

Auch meine Bekanntschaft mit Yehudi Menuhin verdankt sich meiner Zeit in Saanen. Neben Krishnamurtis Vorträgen, zu denen gelegentlich auch Menuhin kam, war das Menuhin-Festival für uns eine wundervolle Ergänzung. Wir erlebten diesen großen Musiker als Dirigenten, Unterrichtenden und auch noch als Meister auf seinem Instrument. Ich fragte ihn, ob er sich Noten von mir ansehen würde. Er lud uns in sein Hotelzimmer ein. Seine Stradivari „Fürst Kevenhüller" lag offen in einem blau ausgeschlagenen Geigenkasten. Das war also das Instrument, das ich von vielen Schallplatten, die er bespielt hatte, kannte. Mir fiel das Brahms-Violinkonzert ein, ebenso das von Schumann, das er als erster aus der Taufe gehoben hatte, aber auch mit seiner Schwester Hephzibah am Klavier, die unter die Haut gehende Rhapsodie „Tzigane" von Ravel, das wunderbare zweite Violinkonzert von Bela Bartok und manches mehr. Das waren große Interpretationen, und nun saß ich diesem bedeutenden Künstler ehrfurchtsvoll gegenüber.

Menuhin war von meinen Noten beeindruckt, sah sich aber außerstande, seiner Überbeanspruchung wegen - wie er sagte -, davon selbst etwas zu spielen. Allerdings wollte er mir eine fähige Interpretin aus London vermitteln. Dazu kam es jedoch leider nicht. Menuhin starb bald danach in Berlin, wo er als Dirigent auftreten wollte.

4. Benjamin Pajarillo

Aber noch etwas anderes begann sich in dieser Zeit in mir zu bewegen. Ich wusste, dass Krishnamurti zu gewissen Zeiten seines Lebens auch Heilungen vollzogen hatte. Das fand ich ungeheuer faszinierend. Als ich ihn nun reden hörte, fiel mir plötzlich ein, dass mein Notationslehrer Erhard Karkoschka mir einmal von seinem wundersamen Erlebnis erzählt hatte, das ihm widerfuhr, als er anlässlich einer Konzertreise auf die Philippinen von einem der dortigen Heiler von einem Gallenstein befreit wurde. Karkoschka schlug sich mehrfach vor die Stirn und erzählte, dass dieser Heiler namens „Orbito" mit der bloßen Hand in seinen Körper griff und den Stein entfernte. Das also gibt es tatsächlich, dachte ich, und mir fielen die im kirchenchristlichen Kontext zu Metaphern verkrüppelten Heilungsgeschichten von Jesus ein, und es durchfuhr mich, als ich realisierte, dass sich die philippinischen Heiler darauf und auf die noch heute wirksame Heilkraft Jesu beziehen. Das öffnete mein Interesse für energetische Heilmethoden, die ich später mit meinen Yogakenntnissen und -Fähigkeiten verband. Hier half mir meine Freundin Magdalena, die ich lange vor Uta kennen gelernt hatte und mit der ich meine Tochter Sara habe, weiter. Sie studierte zu der Zeit Medizin und war sehr an alternativen energetischen Heilmethoden interessiert. Zusammen besuchten wir immer wieder Dr. Fehring in Syke und lernten

Akupunktur. Einige Zeit später traf ich den philippinischen Heiler und Bischof Benjamin Pajarillo und wurde durch ihn über Jahre des Lernens und Übens selbst zum Medialheiler und Reverend der „Christian Spiritists of the Philippines, INC."

Zur Fähigkeit der Körperöffnung habe ich es allerdings nie gebracht, vielleicht, weil ich doch in erster Linie Musiker und Philosoph bin, nun allerdings einer mit dieser mystischen Grunderfahrung, was meiner philosophischen Arbeit einen wahren Hintergrund gab und gibt.

Abschnitt 4

Westliche Philosophie und Psychologie

1. Karl Jaspers

Schon als Kind habe ich mich, wie gesagt, für die Philosophie interessiert, und kam im Laufe der Jahre über Jesus zu Platon und Sokrates und dann weiter über Plotin, Jakob Böhme, Hegel, Schopenhauer bis in die Gegenwart und hier vor allem zur Chiffren-Philosophie von Karl Jaspers. Natürlich war mein Interessen-Schwerpunkt immer die über sich hinausweisende, sozusagen spirituelle Philosophie, und so hatte ich keine Probleme, die östliche mit der westlichen und hier besonders mit der Jaspers'schen Chiffrenphilosophie zusammen zu bringen.

Bereits in meiner Problemzeit nach dem Tod meines Vaters versuchte ich aus den Jaspers'schen Schriften Trost zu beziehen. Die dargestellte Möglichkeit, durch Denken das Bewusstsein so transparent werden zu lassen, dass Transzendenz aufscheint, faszinierte mich, weil ich damit die Hoffnung verband, auf die Frage nach dem Tod und der Liebe eine befriedigende Antwort erhalten zu können. Das gelang nicht. Also schrieb ich Karl Jaspers einen Brief, in dem ich ihm meine Situation erklärte und um seinen Rat bat. Es zeugte von seiner großen Menschlichkeit, dass er mir, der ich nur ein Mensch in Not war und damals noch nichts Nennenswertes vorweisen konnte, antwortete. Ich fühlte mich gesehen, und allein das schon hellte meine damalige Stimmung auf. Sein Brief enthielt im Wesentlichen sein Buch „Kleine Schule der Philosophie"[19] und den Hinweis mit Seitenangabe auf das Kapitel über den Tod. Dazu hatte er aufbauende Worte geschrieben und mir die Lösung des unlösbaren Rätsels gewünscht. Ich war beglückt, bedankte mich ausführlich und versuchte mit neuer Hoffnung die von Jaspers beschriebene Grundoperation zwecks Chiffrenbildung hinzubekommen. Aber auch diesmal brachte mich das nicht wirklich weiter und auch nicht, als ich ihn Jahre später in Basel, wohin er vor den Nachkriegsnazis alias Vorkriegsnazis an der Heidelberger Universität geflohen war, besuchte. Auf mich machte er den Eindruck eines ungeheuer wissensreichen guten Menschen, dem seine eigene Philosophie zum Durchblick geholfen hatte. Das geht scheinbar, dachte ich, aber wie nur? Die Antwort kam, als mir klar wurde, was der Chiffrenphilosophie von Jaspers fehlt. Es ist das, was er gleich am Anfang seines Buches „Von der Wahrheit" verdammt: die Meditation. Was das ist und für seine Philosophie bedeutet, nämlich dass die Chiffrenphilosophie funktioniert, konnte er leider nicht verstehen. In meinem Buch über die Liebe und den Tod anhand der Philosophie von Jaspers und

---

[19] Karl Jaspers, Kleine Schule des philosophischen Denkens, München 1965

Krishnamurti aus der Sicht des KiYoga habe ich das später näher dargelegt. [20]

2. Hemmo Müller-Suur

Auf dem Kunstmarkt in Göttingen lernte ich Hemmo Müller-Suur kennen. Er und ich hielten dort Vorträge, und wir kamen leicht ins Gespräch, das sich dann über viele Jahre im Friedländer Weg, wo er wohnte, jeweils am Donnerstagvormittag hinzog. Ursprünglich als Künstler auf dem Gebiet der Zeichnung ausgebildet, fand er zur Psychiatrie und war zur Zeit unserer Begegnung Leiter der psychiatrischen Forschungsstelle in Göttingen, die dem Landeskrankenhaus angegliedert war. Da ich mich in dieser Zeit für die Kunst an Schizophrenie erkrankter Künstler interessierte und musikalisch darüber arbeitete, kamen wir über dieses Thema mit der Perspektive auf die Fragen nach dem Tod und der Liebe ins tiefe Gespräch. Ich übertreibe nicht, wenn ich sage, in diesen Jahren bei Hemmo Müller-Suur Psychologie, besonders Kunstpsychologie studiert zu haben. Hier verstand ich auch, wie Kunst zur Chiffre, die Karl Jaspers im Wort erlangen wollte, werden konnte. Das Werk Wölflis und Ernst Herbecks veranlasste mich eines Tages, Zen-Malkurse zu besuchten und selbst Bil-

---

[20] M.A. Almstedt, Wer rettet den Tod? Wer rettet die Liebe? Wer rettet die Welt? - West-östliche Wege ins Tiefenbewusstsein, Verlag felipendesign Göttingen 2019

der bis zur Größe von 30 Quadratmetern als Bühnen-
bilder für meine Intermedialwerke zu malen.

Tadashi Endo   Yumino Seki

Auch philosophisch regte mich Hemmo Müller-Suur an.
Er selber war Logiker und sezierte seine Schriften unter
dieser Perspektive immer wieder und war darüber auch
oft mit dem Göttinger Ordinarius Patzig im Gespräch.
Es war die mathematische Logik, die ihn interessierte.
Ich meinerseits hatte die Logik-Bücher von Löringhoff[21]
durchgearbeitet und war von der aristotelischen Logik
fasziniert. Nun wollte ich wissen, was sich hinter der
mathematischen Logik verbarg. Also belegte ich die
Seminare der Logik-Dozenten Sprute und Krüger an der
Göttinger Universität und bekam einen Einblick in die-

---

[21] Bruno von Freytag-Löringhoff, Logik I - Ihr System und ihr Verhältnis zur
Logistik, Stuttgart 1955

ses Fach. Für die Praxis des Schreibens konnte ich jedoch davon im Gegensatz zur aristotelischen Logik nicht viel gewinnen. Ich verstand, warum Löringhoff nachzuweisen versuchte, dass die mathematische Logik nicht nur historisch, sondern auch inhaltlich auf der aristotelischen und damit auf der Umgangssprache beruht. Diese Auffassung, die mir damals völlig plausibel erschien, fand ich viele Jahre später in dem Buch „Hegel und Gödel" des norddeutschen Philosophen Thomas Collmer[22] bestätigt. Er schreibt:

„...Heiss ... stellt mit Blick auf Hegel die entscheidende Frage: »Inwieweit kann die Selbstbeziehung des Denkens zur Methode werden?« ... Nachdem in der Mengentheorie, einem für den Versuch einer reduktiven Gründung der Mathematik auf Logik, ... Widersprüche aufgetaucht waren, zog Heiss ... die »*Konsequenz, dass die formale Logik nicht umfassend genug ist: Sie wird weder der Umgangssprache noch einem wissenschaftlichen Denken mit Erkenntnisanspruch gerecht. Es zeigt sich,*' so Heiss, *,immer deutlicher, dass die Erkenntnis mit der Vermeidung von bloßen Widersprüchen nicht zufrieden sein kann* ...«"

Das war mein Reden, als ich an der Universität Göttingen Logik studierte. Aber man lachte mich aus.

Aber immerhin spätestens ab da hatte ich kein Problem mehr, die aristotelische Logik mit der mathematischen

---

[22] Thomas Collmer, Hegel und Gödel, Stadtlichterpresse, Wenzendorf 2011

und der dialektischen von Hegel zu verbinden. Ich verstand einfach, dass jede Form der Logik auf dem Prinzip des natürlichen Denkens, also dem Bilden von Identitäts-/Diversitätsrelationen beruht, gleich ob dabei der inhaltslose formalistische Weg der mathematischen Logik, oder der mit Inhalten gefüllte der aristotelischen Logik oder der der sich zwischen Identität und Diversität bewegenden dialektischen Logik Hegels beschritten wird.

Hemmo Müller-Suur half mir nicht nur als kompetenter Gesprächspartner. Mein Liederzyklus „Du bist mein Spiegel" mit Texten Herbrichs alias Herbecks über Liebe und Tod gefiel ihm außerordentlich - wie vordem schon im zweiten Anlauf Karkoschka in Stuttgart. Durch Hemmos Vermittlung wurde es möglich, dass dieser Zyklus in Hannover im Rahmen des 9. internationalen Kolloquiums „Die Sprache des anderen"[23], wo auch Hemmo einen längeren Vortrag hielt, in der szenischen Version aufgeführt wurde. Dazu gehörten elektrophysiologische Ableitungen an der Sängerin Dietburg Spohr während des Singens auf der Bühne, wodurch sie mit ihren Gehirnströmen eine vorbereitete Schildkrötenpanzer-Hintergrundmusik steuerte. Gleichzeitig wurden ihre Hirnstromkurven auf großen Monitoren visualisiert. Seine Abrundung fand diese Veranstaltung durch einen darauf bezogenen Vortrag meinerseits, der spä-

---

[23] Die Sprache des anderen, 9. Internationales Kolloquium d. Soc. Internat. de Psychopathologie de l'Expression, Hannover 1975

ter bei Karger in Basel zusammen mit dem Vortrag Hemmo Müller-Suurs abgedruckt wurde.[24]

Auch die Freundschaft mit Hemmo Müller-Suur endete mit seinem Tod.

3. Thomas Collmer

Den norddeutschen Philosophen Thomas Collmer lernte ich viele Jahre später unversehens dadurch kennen, dass er mir einen längeren Brief schrieb, in dem er sich auf mein Buch „Wahrheit und Aufbruch" bezog. Dem Brief lagen auch einige seiner Schriften bei, die ich im Laufe der Zeit mit Interesse las. Thomas Collmer ist als Philosoph Dialektiker, war aber zur Zeit unserer Begegnung am Buddhismus interessiert und fand in meinem Buch eine gewisse Nähe dazu. Über ein Jahr lang hatten wir einen freundschaftlichen Briefwechsel, in dem wir - wie wir einander versicherten - viel voneinander lernten. Einiges von seinen Gedichten habe ich auch in meinem Requiem verwenden dürfen. Dennoch blieben Kontroversen und Missverständnisse nicht aus. Genau das, worum es in diesem Buch zentral geht, nämlich um den Sprung ins Andersandere, um von dort allgemein Gedanken, speziell Philosophie und wieder allgemein Leben zu entwickeln, konnte ich ihm nicht nachvoll-

---

[24] Martin Almstedt, „Du bist mein Spiegel" in „Die Sprache des Anderen", Karger-Verlag, Basel 1976

ziehbar machen. In unseren brieflichen Gesprächen, die er bisher nicht veröffentlicht sehen möchte, obwohl meines Erachtens inhaltsreich und für den philosophisch Interessierten sehr lesenswert, sind wir über Adornos negative Dialektik nicht hinausgekommen. Für mich fängt mein philosophisches Interesse da aber gerade an. Gerade heute, wo es einen bedrohlichen Rechtsruck in unserem Lande und sogar weltweit gibt und am Horizont schon das Schreckensbild eines neuen Dritten Reichs auftaucht, ist die Suche nach dem Einen und dem Andersanderen nötiger als je zuvor.

4. Bernhard Wutka

Eine der wichtigsten philosophischen Inspirationsquellen war und ist seit Kindertagen mein Freund Bernhard Wutka. Ein Leben lang haben wir die Gedanken der verschiedensten Philosophen diskutiert, meistens einvernehmlich, manchmal aber auch kontrovers. Das war besonders der Fall, als ich von Jaspers begeistert war und er die positivistische Philosophie verfolgte. Natürlich waren Carnap und Jaspers kaum zusammen zu bringen. Über Wittgenstein, den auch Hemmo Müller-Suur sehr schätzte, kamen wir allerdings bald wieder zusammen. Ein gutes Beispiel für unser uns gegenseitig befruchtendes Gespräch findet sich in unserem Film

„Herbstvögel über Riuwenthal" sowie in meinem Buch „Es gibt keine Abkürzung". [25]

5. Der wahre und der falsche Weg zur geistigen, seelischen und körperlichen Bildung

Ich will dieses Kapitel nicht abschließen, ohne dass davon für dieses Buch Wichtigstes angesprochen zu haben. Was ich über mein geistiges Wachstum im Zusammenhang mit für mich vorbildlichen Menschen schrieb, fand glücklicherweise immer in einer Atmosphäre des Vertrauens, des gegenseitigen Respekts und einer freundschaftlichen Kommunikation, sozusagen von Herz zu Herz, statt. Das gab mir die Freiheit, aus eigenen Quellen zu wachsen.

Natürlich habe ich auch den offiziellen Bildungsweg erlebt und erlitten, in dem kein Vertrauen, kein gegenseitiger Respekt, keine freundschaftliche Kommunikation und schon gar nicht eine solche von Herz zu Herz stattfand und aus eigenen Quellen zu wachsen völlig unmöglich war.

Das Elend fing in der sogenannten Schule an. Hier gab es Lernvorgaben, in die man nach Zeitmaß mit Zwang eingepresst wurde. Es gab nicht die Frage nach den ei-

---

[25] M.A. Almstedt, Es gibt keine Abkürzung, 8 Dialoge, Verlag felipen-design Göttingen, 2017

genen Quellen. Andere Leute hatten sich ausgedacht, was zeitrelevant gelernt werden musste, ja, musste. Sonst gab es Prügel. Und diese brutalen Prügelorgien durch brüllende Nazikriegslehrerkrüppel haben sich mir eingebrannt. Es waren diese Schulschergen allerdings nicht alle so. Einige bemühten sich anders zu sein. So gab es einen gewissen Herrn Tute, der die Buchstaben mit Märchenerzählungen einzuführen versuchte. Das gefiel mir sehr. Aber dann kam der Tag, an dem der Betrug aufflog. Wir waren beim „ch" angekommen und Herr Tute erzählte das Märchen von zwei Riesen, die unmäßig viel gefressen hatten - leider auch jeder ein ganzes Schwein, was mir die beiden sehr unsympathisch machte - und die sich dann unter einen Baum legten und gewaltig schnarchten: ch, ch, ch ... Dann hörte Herr Tute auf zu erzählen. Die Geschichte wurde einfach brutal abgebrochen, und wir mussten die Schiefertafeln mit CHs vollschreiben. Darum also geht es. Besser wäre es, du wärest von den Riesen gefressen worden. Nicht um die schöne Geschichte ging es, sondern um das blöde stumpfsinnige Schreiben von zwei Buchstaben auf die Schiefertafel. So ungefähr dachte ich. Auf die Fortsetzung des Märchens habe ich lange gewartet, bis ich aufgab und sie mir selbst ausdachte. Und als dann noch das Dressurmittel der Zensuren dazu kam, was mich zusammen mit dem ekelhaften Graupen-Schweineschwanz-Schulfraß an Nazivolksspeisungen erinnerte, und diejenigen Extraprügel bei allseits geöffneten Klassenzimmertüren bekamen, die auf die

Mädchenseite des Gebäudes gelaufen waren, da wusste ich, wo der Feind auch in der Schule steht.

Mit Lügen, Betrügen, Angreifern „auf die Schnauze hauen" - gottseidank war ich körperlich stark genug, um mich wenigstens des Mobbingelends erwehren zu können - habe ich die Zeit der schulischen Verstümmelungsversuche bis zum Ende durchgehalten. Natürlich ließ es sich dabei nicht vermeiden, dass ich trotz allem viel gelernt habe. Das allerdings, worum es in der Schule geht, das Ergebnis der Verrechnung meines Menschseins auf papierne Zahlen, hat mir in meinem Leben gar nichts gebracht. Wie sehr war ich erfreut, als - ich war schon auf dem Gymnasium - ein besonders übler Lehrer von einem sich rächenden Schüler erschossen wurde. Alle Schüler waren begeistert, aber es wurde Trauer angeordnet, und so spielten alle unter innerem Feixen trauernde Schüler, die den herben Verlust ihres geliebten Lehrers erlitten hatten. So stand es auch mit Abbildungen in der Zeitung.

Das habe ich allerdings auch in der Schule gelernt: Wie die gewalttätige ständig betrügende Lügen-Gesellschaft funktioniert und dass man mich zu einem funktionierenden Glied dieser Gesellschaft mit allen üblen möglichen Zwängen machen wollte. Welch ein Verbrechen. Ich ging in die innere Emigration und führte ein Doppelleben, um zu überleben. Später habe ich den Titel eines Films, der ähnliche Prozesse zeigt, auf mich bezogen: „Die Verrohung des Franz Blum" von Burghard Driest.

Gottseidank verlor sich meine erlittene Verrohung durch meine späteren Begegnungen mit guten hilfreichen Menschen bald wieder.

Jeder „Hornochse" - so wurden wir in der Schule oft genannt - sollte wissen: Diese Art Erziehung brachte die psychische Voraussetzung für die Wahl Hitlers hervor und heute für die Wahl der AFD und bedingt sogar heute noch Schlimmeres wie den NSU. Natürlich verstehen das die „Hor Nochsen" (so wurde das Wort lächerlicherweise seitens der Lehrer ausgesprochen) nicht.

In diesem Nichtverstehenkönnen sind sie als ideologie- bzw. paraideologie-gesteuerte Bio-Computer, und als solche gelegentlich blinde Vernichtungsmaschinen wirklichen Hornochsen gleich. Aber auch nur in ihrem Nichtverstehenkönnen, denn Hornochsen sieben nicht und nehmen auch nicht an Knüppel- oder gar Vernichtungsaktionen teil.

Ich habe auf „Lehrer" wie in anderen Zusammenhängen auf „Polizisten" und „Nazis" hingewiesen. Mit diesen Worten sind Rollen gemeint. Die lebendigen Menschen dahinter schnurrten dabei auf diese alias auf Funktionen zusammen. Aus Menschen, die eigentlich Kinder und Jugendliche im Sinne humanistischer Bildung aus eigenen Quellen wachsen lassen sollten, wurden Messböcke[26] und Schalentiere.[27]

---

[26] so nannte Hemmo Müller-Suhr testvernarrte Psychologen

Das war auch in der Nazidiktatur prinzipiell nicht anders. Hinter ihren irrsinnigen ministeriell erlassenen inhumanen Ideologien und Schutzschalen hatten einige gut bereits in Messbock- und Schalentier-Rollen Eingeübte es 1941 bis an den Rand der Schlucht von Babyn Jar gebracht, wo sie an 30000 durch Nazizfolter bereits nackten Kindern, Frauen und Männern knüppelnd und schießend zu Mördern wurden.

Manchmal und nicht selten schlägt die Quantität in die Qualität grausam um, wie Hegel schon richtig wusste.

---

[27] sich hinter Titeln und Machtpositionen versteckende Menschen

Kapitel 5

Die „Ossis" und die „Wessis"

Bevor es aufgrund der braunen Agitation zum Bürgerkrieg kommt, wäre meines Erachtens sofort etwas Anderes nötig: In einer Großaktion sollte eine Befragung der Pegida-Anhänger und AFD-Wähler, durchgeführt werden, um ehrlich zu ermitteln, welche Gründe genau zu ihrer Wahlentscheidung geführt haben. Diese Ost-Wähler würden sich dann von den „Wessis" vielleicht zum ersten Mal ernst genommen fühlen. Mag sein, dass dann dennoch einige voll Spott und Hohn brüllen: „Wir wollen unsern alten Kaiser Wilhelm wieder haben" und sogar einige, die dieses Lied umtexten in: „wir wollen unsren alten Führer Adolf wieder haben." Das wäre nicht auszuschließen, berechtigtes Misstrauen und allerdings auch Schwachsinn gibt es überall. Aber vielleicht kommen auch Gründe zur Sprache, die nachvollziehbar sind und auf große dem kapitalistischen Zugriff geschuldete Versäumnisse der West-Regierung hinauslaufen. Denn klar ist: Die deutsche Regierung hat diese AFD-Misere - und das heißt besonders die Ost-Misere - durch ihr schreckliches Gelddenken verschuldet.

Auf eine solche Befragung, die dann wahrscheinlich 10 Jahre auf sich warten lässt und weitere 10 Jahre wissenschaftlich, rechtlich usw. überprüft werden muss, möchte ich nicht warten. Ich habe selbst Erfahrungen mit Menschen der ehemaligen DDR gemacht.

Als ich kurz nach der Wende verschiedene Konzert-reisen durch diesen Teil Deutschlands machte, traf ich beinahe ausnahmslos auf lauter gastfreundliche hilfsbereite Menschen; ja, tatsächlich auf Menschen, und nicht auf Profitmaschinen, auf Menschen, die einander verlässlich helfend miteinander und nicht gegeneinander lebten. Ein einfaches Beispiel:

Offen, interessiert und ohne ausbeuterische Hinterlist begrüßte uns die Besitzerin einer kleinen Pension beinahe wie Familienangehörige: „Ach sie sind die Künstler! Schön dass sie da sind, kommen Sie doch herein. Ich habe gerade frischen Tee gemacht. Darf ich Ihnen etwas davon anbieten? Ein Stück Kuchen bekommen sie auch, wenn sie wollen. Einen frisch gebackenen. Die Zwetschen sind dieses Jahr so gut." Ja, der Kuchen war wirklich hervorragend (ohne das Übermaß an übersäuerndem Backpulver wie im Westen) und ließ ein wunderbares Frühstück erwarten, was sich dann am anderen Morgen auch opulent erfüllte. „Ah, da kommt mein Mann. Komm setz dich einen Augenblick zu uns, wir haben Gäste aus Göttingen." „Deshalb das große Auto vor der Tür aus dem Westen", sagt er und gab uns freundlich die Hand. „Sie geben ein Konzert im Bürgersaal, habe ich gelesen. Da werden wir nicht fehlen, das lassen wir uns nicht entgehen, nicht wahr, Else." Die Frau nickt freudig und sagt zu uns gewandt: „Eine schöne Unterkunft werden sie gewiss bei uns finden, hoffentlich reicht Ihnen das. Ach, Herman, hol doch mal für unsere Gäste - du weißt schon." Und Herman holte ein paar wunderschöne handbestickte Kissen. „Die sind aber wirklich schön sagte Nori, meine Begleiterin." „Sie können gerne eins davon behalten."

Solche Begegnungen waren keine Ausnahme. Beim Lauten- und Gitarrenbauer Gropp, den ich oft mit meiner Tochter anlässlich mehrerer Instrumenten-Bauaufträge in Markneukirchen besuchte, erlebten wir ähnliches, aber darüberhinaus auch vertiefende Gespräche über Ost- und Westdeutschland, verbunden mit der Frage seitens der Gropp-Familie, wie man im Westen mit Gitarren und Lauten ins Geschäft kommen könnte. „Diese Menschlichkeit, das ist ja ein Paradies," dachte ich, „auch wenn äußerlich viel Verfall zu sehen ist".

Der ist nun nicht mehr zu sehen. Die „blühenden Landschaften" haben sich realisiert. Das ist gut, aber wohin die Reise dieses Landes ging, ahnten wir schon ein paar Jahre später. In Leipzig nämlich hatte der Kapitalismus bereits zugeschlagen. Das „Wessi-Hotel" war das einer Kette, war teuer, standardmäßig langweilig gestaltet, mit miserablem Frühstück im geschmacklosen Salon. In den üblichen kurzen geschäftlichen Gesprächen, war Misstrauen zu spüren -

wir mussten sogar unsere Ausweise vorzeigen - und auch Geldgeilheit machte sich breit. Selbst für eine überteuerte Garage mussten wir noch zahlen. Die Frühstücksbrötchen glichen Gummibällen, die nur mit schließlich herausgerissenen Zähnen zu meistern waren, die in Winztöpfchen plastikverpackte Marmelade … usw. Wir kannten das alles. Von angenehmer Familienatmosphäre war gar nichts zu spüren. Ein kommunikationsloses, durch Höflichkeiten getarntes ausbeuterisches Gegeneinander dominierte.

Ja, es hatte sich schnell seit unseren guten Erfahrungen viel verändert. Die Herzlichkeit, die Einladungen und die Großzügigkeiten hatten beträchtlich abgenommen. Unsere Konzertreisen führten uns nach Berlin, Kyritz, Dresden, wo sich bereits bekennende Neo-Nazis zeigten, aber auch erneut in die wieder als Instrumentenbauzentrum erstarkende Stadt Markneukirchen, später auch nach Schloss Burgk an der Saale, wo ich an einem Tag drei Konzerte mit verschieden Programmen und verschiedenen Instrumenten spielte und außerdem 40 große Gemälde ausstellen konnte (wozu Nori Faber einen ausgezeichneten Einführungsvortrag hielt). Wir kamen in die Bach-Stadt nach Köthen mit dem roten Porphyrstraßenpflaster und auch nach Zwickau, wo Schumann lebte und wo ich beim Spielen unter dem Doppelglasdach des Rathausturms bei über 40 Grad am Flügel zerfloss. Wir kamen auch nach Schwerin, Schloss Hummelshain, nach Torgau mit seiner berühmten Kriegsbrücke und seinem Bärenzwinger, in dem ein paar dürre Bären auf Steinen herumwankten. Als ob diese Tierquälerei nicht schon abstoßend genug war. Die Tiere gab es hier nicht nur zur Zierde: Im nahegelegenen Gasthaus wurde das schwarze Fleisch der Bären als Delikatesse angeboten. Auch nach Greiz kamen wir, eine aus Gründen der Fernwärmeversorgung oberirdisch dick verrohrte Stadt.

In späteren Jahren hatte ich das Glück, mit dem ostdeutschen Maler und Bildhauer Ralf Klement viele Ausstellungs- und Konzertreisen im Osten zu unternehmen. Viele Begegnungen waren damit verbunden, und es kamen aufschlussreiche Gespräche zustande. Ja, ich habe über Jahre einiges kennengelernt und schließlich auch, gewissermaßen als Krönung, meine ostdeutsche Freundin Christine.

Ja, die blühenden Landschaften. Äußerlich gibt es die jetzt, sehr schön alles, besonders in Dresden oder Weimar. Großartige Städte, wie sie im Westen jetzt eher selten vorkommen. Aber die ehemalige äußere Verrottung hat sich scheinbar bei vielen nach innen verlagert. Viele der ehemaligen DDR-Menschen sind notgedrungen Kapitalisten geworden. Nicht ohne Schmerz, nicht ohne Heimweh. Was wir hörten, klang plötzlich sehr anders als unmittelbar nach der Wende. Nun war die Rede von Ausbeutung durch den Westen, von Betrug, von Bösartigkeit usw. Aber auch von Arbeitslosigkeit, Armut, Abgehängtsein, Machtlosigkeit, vom Menschsein in zweiter Klasse: „Da sind sogar die Ausländer besser dran." war immer wieder die Rede. Man beklagte die soziale Zerrissenheit und die Verödung von Dörfern und Städten. „Die Leute sind jetzt alle im Westen". „Die EU regelt an uns vorbei". „Wo sind unsere großen Firmen geblieben? Die sind fort, und wir sind nur Angestellte des Westens." „Alles, was gut war, wurde uns gestohlen". „Wir sind von der Treuhand ausgeraubt worden." „Die Reichen toben sich schamlos aus." „Eine Ellenbogengesellschaft waren wir unter Honecker nicht." „Jetzt gibt es die Diktatur der Reichen, der kapitalstarken Siegermächte." „Was wir jetzt erleben, ist eine Form von Kolonialismus." „Die machen rücksichtslos, was sie wollen." „Ja, das Land wurde wieder aufgebaut, aber ohne uns." „Jetzt müssen wir im Kapitalismus dienen und seine Härte und Brutalität erst lernen." „Dass Familien aus ihren Wohnungen des Geldes wegen vertrieben werden, so etwas hatten wir früher nicht. Dass es das im Westen gibt und nun auch hier, hätten wir uns nicht träumen lassen." „Man konnte die Miete bezahlen, und zu essen gab es auch ausreichend, zwar nicht in solchem Überfluss, aber was soll der auch? Der macht nur krank und die Geldgeilen reich." „Sind wir im Krieg? Ich glaube ja, im Krieg mit kapitalistischen Raubtieren." „Der soziale Zusammenhang war jedenfalls früher viel besser". „Welch ein Schatz das war, das wissen wir erst jetzt." „Ja, Sie haben Recht: es ist falsch, aber wissen

Sie, die Nazis, gab es auch schon vor der Wende."
„Vielleicht sollte man die Mauer wieder aufbauen."

Die Leute klagen. Zu Recht! Aber die alte DDR wollen die meisten Menschen dort auch nicht wieder haben. „Also SPD oder die Linken", sollte man denken. Aber nein, die stehen für viele der ehemaligen DDRler zu weit links, und davon haben die Menschen genug, was sich allerdings gegenwärtig bereits ändert. Also für viele der Kurzschluss: Pegida und die AFD und sogar Neo-Nazis. Da suchen nun tatsächlich viele ihr Heil, und im Osten besonders, denn das Minderwertigkeitsgefühl und dessen Überkompensation sind hier verständlicherweise noch stärker als im Westen ausgeprägt.

Dass gegen solche Übelstände demonstriert wird, kann ich gut verstehen. Auch dass man Zusammenhalt, familiäre Geborgenheit, Nestwärme, Freundschaft, Hilfsbereitschaft vermisst und nun wieder sucht, ist nachvollziehbar. Aber warum dann bei den Rechten, ja manchmal unmittelbar bei den Neo-Nazis oder mittelbar in den Reihen der „Wutbürger" und AFDlern? Innerhalb der politischen Parteien gibt es die Schwarzen, die Grünen, die Roten, die Gelben und leider auch die Braunen. Warum wählen so viele Ostdeutsche ausgerechnet diese schlimme Braune Partei?

Nun, bei den Voranstrebenden, den Grünen oder den Linken finden die Menschen, die verständlicherweise aufs Bewahrenwollen des Guten in ihrer alten Heimat ausgerichtet sind, nicht das, was sie suchen, denn zwangsläufig fühlt und denkt man hier konservativ; denn „Bewahren" heißt „Nicht-Fortschreiten". „An die kapitalistischen Konservativen des Westens, die neben allem Sanierungs-Heil auch das viel größere Unheil der Fremdheit, der Konkurrenz, der Ellenbogentaktik, der Ausbeutung gebracht haben, kann man sich auch nicht wenden, denn was hinter deren christlicher Maske steckt, hat uns die unionsgelenkte untreue Treuhand erbarmungslos beigebogen". „Wenn aber die Schwarzen des Westens, die uns sowieso nicht interessieren, weil wir atheistisch erzogen wurden, oder die Gelben, die prinzipiell nicht anders als die Schwarzen sind, und auch die Linken, denen der rote Gestank anhaftet wie dem Satan der Schwefel, nicht infrage kommen, ja, was sollen wir im Osten anderes wählen als die konservative Protestpartei, die Braunen, die sich komischerweise „AFD" nennen, obwohl Alternatives, was doch nach vorne weist, nicht zu erkennen ist." „Die „Braunen" wollen wenigstens durch Fremdenausgrenzung unser Fremdheitsproblem, das unserem heimatlichen Kuschelbedürfnis im Wege steht, minimieren." „Natürlich nehmen wir an Pegida-Demonstrationen teil." usw. Ja, so hörten wir die Menschen im Osten reden. Ich kann das verstehen, was nicht heißt, dass ich es voll bejahe. Dass bei den „Braunen" latent das Nazitum herrscht, nehmen die Menschen in Kauf, denn die alten Naziparolen ziehen noch immer: Volk, Vaterland, Familie, Patriotismus,

Ehre usw. So etwas verspricht Geborgenheit, Aufgehobensein, Behütetsein, Bekuscheltsein - ein wenig wie in der alten DDR, in der es auch den Gartenzwerg gab - allerdings aus „Plaste".

Dennoch: Der Ruf, der früher gegen Nazis zu hören war: „Wehret den Anfängen", ist heute wichtiger denn je. Aber dieser Ruf ist offenbar bedeutungslos geworden, obwohl die Anfänge der Gefahr von rechts längst überschritten sind. Was haben wir bloß für eine rechtslastige blinde Regierung? Von „Wehret den Anfängen" ist da wenig zu hören zu lesen und noch weniger zu spüren. Schaut man auf die Wahlergebnisse und Umfragen, ist es allerdings nicht völlig un-wahrscheinlich, dass die schwarze Macht - anders als die braune - weiter an Zustimmung verliert und ein Machtwechsel zugunsten der Grünen und der Roten erfolgt. Dann allerdings läge der verschärfe Kampf gegen Braun nahe.

Aber muss man warten, bis Grüne und Rote bei weiterem Erstarken der Braunen die Bundeswehr gegen die Neonazis einsetzen müssen, da die Polizei-gewalt nicht ausreicht? Daraus erwüchse dann vielleicht wirklich ein Bürgerkrieg. Eine furchtbare Vorstellung, die allerdings weniger schrecklich ist als die eines neuen Nazireichs. Käme das dennoch, dann hätten auch die wahren Helden und Heldinnnen der Hitlerzeit Deutschlands, die zeigten, dass nicht alle Nazis waren, ja dass es Widerstand gab, allen voran die

Weiße Rose mit den Geschwistern Sophie und Hans Scholl sowie Alexander Schmorell und weiteren Helden dieser Gruppe, ferner Claus Schenk Graf von Stauffenberg und seine Mitstreiter sowie auch viele der bündischen Pfadfinder im damaligen Kattowitz und die pfadfindernahen Edelweißpiraten, die alle ihr Leben für nicht einmal ein Feigenblatt verloren. Und das würde dann wohl auch für die Heldinnen und Helden aus unserer Zeit gelten, wenn sie im Kampf gegen die Neonazis zu Tode kämen.

Ich mag es nicht glauben, aber Rezo hat offensichtlich völlig recht: Wählen kann man die CDU, die FDP und die SPD nicht mehr. Scheinbar sind diese Leute wirklich auf dem rechten Auge bzw. auf beiden Augen blind, sind rettungslos geld- und machtverstockt. Von „Wehret den Anfängen" kann jedenfalls bei den Menschen dieser Parteien nicht die Rede sein.

Und das, obwohl klar ist: Wenn die Braunen es könnten, würden sie wohl alle und alles in den Krieg führen und einen erneuten Untergang herauf-beschwören - worum sich der rechtsdenkende Trump auf der anderen Seite des Ozeans scheinbar kräftig bemüht, indem er ständig zündelt.

Das, was die Kirchenkreise der AFD sündhaft „Sünde" nennen, ist in Wahrheit christliche Menschlichkeit. Aber der Rezo-Empfehlung nicht zu folgen, die er in seinem CDU-Video zum Ausdruck bringt (und nur die-ses Video meine ich!), das wäre wirklich Sünde.

Kapitel 6

Was in der materpaklitistischen Kultur fehlen wird und was dazu gehört

1. Allgemeines

Natürlich wäre im bewusstseinsmäßig gegebenen und gesetzlich abgesicherten Materpaklitismus der kranke Konservatismus, das lebenverachtende Nazitum, die Menschen-, Tiertötung und Naturzerstörung vollständig überwunden. Durch das Ende der barbarischen Tierhaltung wäre auch der tierische Methanausstoß beseitigt, was bewirken würde, dass sich die gegenwärtigen Treibhausgas-Emissionen erheblich verringern würden.

Aber auch die ekelhaften Mord- und Kriegsszenen in den Computerspielen, im Fernsehen, im Kino, überhaupt den Medien, Groschenheften, Krimis usw. gäbe es nicht mehr, es sei denn in der ehrlichen Absicht, um zu zeigen, wohin der Wahnsinn ideologisch Verrirrter führt. Ebenso wenig gäbe es die eklatante Hetze im Internet und das Dark-Net schon gar nicht. Solche Widerwärtigkeiten zeigen: Behandlungsbedürftige Irre machen Gewalt salonfähig und bereiten den Boden für Krieg und neue KZs vor.

Überhaupt wäre alles, was die niederen zerstörerischen Instinkte anspricht, um Geld zu maximieren, und was damit das Gegeneinander fördert, in einer materpaklitistischen Kultur überwunden. So natürlich auch Gewalt und Frauenunterdrückung, was oft in Pornofilmen verherrlicht wird und seinen Reflex in der Werbung mit halbnackten Frauen findet.

Überhaupt die Unterhaltungsindustrie: Die Zeit totschlagen alias das Leben tot schlagen, davon lebt diese Riesen-Wirtschaftssparte. Aber auch das gehört in einer materpaklitistischen Kultur einer überwundenen Zeit an.

Nun könnte es sein, dass das übliche Volksgeschrei wie im Falle des Veggiday-Vorschlags losgeht a la: „Der will uns das Fleischessen verbieten, die schöne allabendliche Mordunterhaltung, die herrlichen Pop-und Rockkonzerte, vielleicht auch noch das Autofahren, das Fliegen oder gar den Song-Contest, das wäre der Gipfel" usw.

Keine Angst! So über meine Ansichten zu denken wäre ein großer Irrtum. Abgesehen davon, dass ich weder etwas verbieten will noch als völlig Machtloser gar nichts verbieten kann, widersprächen Verbote auch völlig dem Geist des materpaklitistischen Denkens.

Neues Bewusstsein, welcher Art auch immer, kann flächendeckend und nachhaltig nicht mit Zwang eingeführt werden. Das haben nicht nur die Altnazis, sondern auch die marxistisch, kommunistisch-leninistisch-stalinistisch oder maoistisch geprägten Versuche schrecklich gezeigt und nicht weniger die christlichen und moslemischen.

Das materpaklitistische Bewusstsein muss aus den einzelnen jeweiligen Menschen von innen natürlich wachsen.[28] Auf Zwang zu verzichten, bedeutet natürlich nicht, Kriminalität laufen zu lassen, z. B. spalterisches Agieren, Volksverhetzung, Kriegstreiben, Gewalt, Raub, Mord, was im Alt- und weitgehend auch im Neonazitum sämtlich zu finden ist. Hier hat der „demokratische" Staat die Pflicht, radikal einzugreifen, was er natürlich nicht will, wenn er selbst rechtslastig ist. Wieso eigentlich wird ein Mensch, der im Bundestag über die Auschwitzverbrechen allen Ernstes sagt, es seien diese Unmenschlichkeiten angesichts der großartigen deutschen Geschichte ein „Fliegenschiss", nicht sofort inhaftiert?

2. Ideologien und Paraformen

Wir haben einen Streifzug durch verschiedene Ideologien gemacht, haben den Kapitalismus, den Sozialismus, und vor allem die schlimmste aller

---

[28] Martin-Aike Almstedt, Wahrheit und Aufbruch, Verlag felipen-design Göttingen, 2018

Ideologien samt dessen, was daraus erwuchs und gegenwärtig wieder erwächst, beschrieben.

Die Nazi-Ideologie ist die Schlimmste. Aber ist sie das wirklich? Hierzulande ist sie das, gewiss. Schaut man allerdings über die deutschen Schreckensverhältnisse hinaus nach Osten, muss man erkennen, dass der Ideologie des Kommunismus bei weitem mehr Menschen zum Opfer fielen als das unter der Herrschaft der Nazis der Fall war. Ein Blick in das Buch „Der Archipel Gulag"[29] macht deutlich, wovon ich spreche. Das macht natürlich die Nazi-Ideologie und das Verbrechen, das sich daraus ergab, um nichts besser. Im Gegenteil: das Naziverbrechen ist in seiner Einzigartigkeit unerreicht.

Im hier vorliegenden Buch, das von meinen persönlichen Erlebnissen ausgeht, kann die Thematik kommunistischer Verbrechen nicht aus eigener Anschauung berührt werden. Und ohnehin ist Leid nicht gegen Leid über die Anzahl der Toten, die die Ideologien hervorgebracht haben, verrechenbar. Verbrechen, die aus dem kommunistischen Lager kamen, habe ich nur in ihren Auswirkungen erlebt, nämlich durch Erzählungen von Familienmitgliedern, besonders meiner Tanten und eines Onkels, die im Krieg und in der Kriegsgefangenschaft Furchtbares erlebten.

---

[29] Alexander Solschenizyn, Der Archipel Gulag, Rowohlt-Verlag 2003, 11. Aufl.

Über den Grad der Gefährlichkeit der Ideologien kann allerdings durchaus etwas gesagt werden. Und hier sticht heute die wohl allerschlimmste aller Ideologien hervor. Sie ist bisher in diesem Buch an vielen Stellen bereits erwähnt worden. Es ist das das materialistische Gelddenken, und an dieser Stelle reichen sich der materialistische Kapitalismus, der materialistische Kommunismus und der materialistische Christianismus alias das konservative unchristliche Kirchenchristentum die Hand. Geld ist dort das Wichtigste. Die menschlichen Potentiale, die ohnehin schon auf die 250 bis 25tausend Worte, die der Homo Sapiens Sapiens denkend bewegt, grässlich reduziert sind, schrumpfen bei Geldmenschen weltweit auf das Beinahenichts ihrer Geldgedanken. Welch ein Psychokrüppeldrama! Nicht nur die politisch lancierte und durch die RWE durchgeführte weitgehende Abholzung des Hambacher Forstes und die Riesenverwüstung des Landes drum herum, nicht nur die Zerstörung des Regenwaldes, der Lunge der Erde, durch Bolzonaro in Brasilien, nicht nur Trumps Leugnung des gegenwärtigen fortschreitenden menschengemachten Klimawandels und sein Ausstieg aus dem Pariser Klimaabkommen, nicht nur die Riesenvergiftung durch Methan- und CO_2-Emissionen, nicht nur durch das gegenwärtig riesige Artensterben, nicht einmal nur durch Kriege und das dahinter stehende Gelddenken der Kapitalisten, was das alles hervorbringt, sondern die Wirkung von all dem: Das ist die Überhitzung der Erde, die schon jetzt Tausende tötet. Das lässt einen Ausblick auf das Ende nicht nur der ausgemacht Geld- und Macht-Wahnsinnigen zu, sondern aller Menschen und überhaupt des Lebens insgesamt auf der Erde.

Das bewirkt die systemimmanente kapitalistische Ideologie in praxi. Sie ist die schlimmste aller Ideologien. Da höre ich Leute munkeln: Der Kapitalismus ist keine Ideologie, er ist ein Wirtschaftssystem. Ja und? Selbst wenn das so wäre, ist dieses System nicht aus Ideen hervorgewachsen, die in endloser Gier, Neid, Hass, Missgunst, Großmannssucht, Machtstreben, Konkurrenz, endlosem Betrügen-Wollen, ja direkt in Zerstörungswut wurzeln und in ihrer Wirkung sogar den Krieg übertreffen. Übertreibe ich mit solcher Aussage? Keineswegs!

Die Grundkrankheit des Kapitalismus besteht in der Abkoppelung des Geldes von der realen Arbeit. Solange hinter jedem Cent reale Arbeit steht, hat der Kapitalismus im Prinzip kein Problem, ist eigentlich dann aber auch nicht mehr Kapitalismus. Der Wahnsinn besteht darin, dass mit Zinsen Geld verdient wird. Damit beginnt die Abkoppelung des Geldes von der realen Arbeit. Dieses Prinzip hat sich derart molochartig ausgebreitet, dass heute Geld im riesigen Stil unter Zuhilfenahme von Hochgeschwindigkeitsrechnern bis hin zu kriminellen Derivat- oder „Cum-Ex"-Geschäften angehäuft wird. Durch keine reale Arbeit auf der Erde können solche Kapitalmengen jemals entstehen,

Kapitalmengen, die allerdings Potemkin'schen Dörfern gleichen und im Grunde Falschgeld sind, weil keine reale Arbeit dahinter steht und z. B. das angeblich ehrlich in Amerika durch reale Arbeit verdiente Geld in Fort Knox in Kentucky zu wenig ist, um einen realen Gegenwert zum Falschgeld der Banken bieten zu können. Zu dieser Art des Falschgeldanhäufens gehört zwangsläufig die Pervertie des wirtschaftlichen unendlichen Wachstums, was unter anderem die Ausraubung aller natürlichen Ressourcen der Erde bedingt. Da aber der Erdball nicht mitwächst, sondern endlich ist, denken manche Irre schon an die Besiedelung des Mars und dessen Bodenschätze. Was notwendig daher auch zum Kapitalismus gehört, sind die Bankencrashs, wenn immer mal wieder „Blasen" platzen. Das trifft dann uns alle, nicht nur weil viele z. B. ihre hypothekenbelasteten Häuser verlieren, sondern weil die Banken dann mit Steuergeldern gerettet werden „müssen", damit das Zerstörenswerteste, der Kapitalismus, und mit ihm unsere Scheindemokratie nicht zerstört wird, die Schein bleibt, solange es das alles beherrschende Falschgeld des Kapitalismus als den wirklichen Großtyrann alias Diktator gibt.

Was dagegen zu tun ist, wusste bereits Jesus: Er warf die Tische der Wechsler um und prügelte diese Leute aus dem Tempel, um diesen nicht länger eine „Mördergrube" sein zu lassen. Für die angeblich christliche CDU sollte das ein Vorbild sein, ist es aber nicht. Im Gegenteil.

In der Tat: Was radikal abgeschafft werden müsste, sind im Kern die Zinsen sowie das darauf aufbauende Bankwesen. Eingeführt werden sollte dagegen die Lokalwährung, die niemals zinsträchtig werden darf. Auch das liegt im materpaklitistischen Denken, der Liebe für sich selbst, für andere und für das natürlich Andere. Scheinbar macht das Königreich Bhutan gegenwärtig vor, wie solche Alternative in aller Praxis bestens funktioniert.

Wer sind die politischen Vollstrecker des zerstörerischen kapitalistischen Wahnsinns? Widersprüchlicherweise die bewahren wollenden „christlichen" Konservativen, die Rechten, die Ultrarechten alias die Alt- und Neo-Nazis. Der Erzkonservatismus dieser Leute in ihrer kapitalistischen (Falsch-) Geldgeilheit geht so weit, dass die sogenannte Alternative, die als ultrakonservative, ja nazistische Partei schon von der Wortbedeutung her keine Alternative ist und niemals sein kann, z. B. für die Abholzung der Wälder - möglichst wie in Brasilien - und gegen alternative Energiegewinnung durch Windkraftanlagen ist und für den Fortbestand der Atomenergie wirbt. Haben diese Leute Tschernobyl, Fukushima, La Hague vergessen? Wundert es sie nicht, dass die konservative, dabei jedoch auch progressive CDUlerin und Physikerin Angela Merkel die Energiewende ermöglichte? Werden die BPler von der Atom- und Kohlewirtschaft gepampert, wie seinerzeit die ehrenwortgeschützte CDU? Fast sieht es so aus. Die Spendenskandale legen das jedenfalls nahe. Und das Gebrüll vor allem auf ostdeutschen Straßen „Merkel muss weg" bestätigt das.

Die AFD ist tatsächlich eine Alternative, eine Alternative allerdings nicht für Deutschland und seine materpaklitistischen Ansätze, sondern eine Alternative, zum Leben überhaupt. Die aber ist der Tod.

Im materpaklitistischen Denken gibt es den Kapitalismus, wie wir ihn kennen, den Raubtierkapitalismus nicht mehr, aber auch nicht, was aufgrund dieser Aussagen als Alternative dazu gemeinhin dumm gedacht wird, also den Sozialismus oder den Kommunismus, sondern etwas, - und das wäre schon viel - dass sich - wenn schon nicht an Bhutan - zunächst strikt am Grundgesetz orientiert. Wenn der Artikel 1 „Die Würde des Menschen ist unantastbar" ernst genommen würde, sähe die gesellschaftliche Situation, die soziale, die wirtschaftliche, das Wertedenken, schon völlig anders aus, und wenn dazu Männer und Frauen wirklich gleich wären, d.h. im materpaklitistischen Sinn das männliche Prinzip dem weiblichen wirklich gleichgestellt würde, wäre eine materpaklitistische Kultur schon deutlich näher gerückt. Wenn die Würde des Menschen wirklich unantastbar wäre, gäbe es den Kapitalismus nicht;

damit z. B. auch nicht das menschenverachtende mörderische Mittelmeerdrama, oder den blutigen Waffenhandel, oder die Zerstörung und Ausraubung ganzer Länder zwecks Bereicherung an Bodenschätzen, vor allem des Öls, oder den Mietfaschismus, der um Geld zu verdienen, Menschen, ganze Familien ihrer Wohnungen beraubt und buchstäblich auf die Straße setzt, es gäbe auch die Frauenunterdrückung von der Minderbezahlung bis hin zum Frauenhandel und zur Zwangsprostitution nicht mehr und weltweit auch keine Kinderarbeit.

Aber das kapitalistische Denken hat sich bei wohl allen tief in die Gehirne gefressen. Ein Beispiel aus der Alltagsrealität: Seit meiner Jugend erlebe ich bis heute z. B. Folgendes: „Was machen Sie eigentlich beruflich?" „Ich komponiere und schreibe Bücher." „Und davon können Sie leben? Was verdienen Sie denn dabei?" Ich hätte oft Lust zu antworten: „Gar nichts", was beinahe stimmt, „Ich sammele Zigarettenkippen", was nicht stimmt, oder hätte auch Lust, den Fragenden einfach mit dem bekannten Original Goethezitat (Götz v. Ber- lichingen) abzufertigen. Letzteres wäre zwar ekelhaft, entspräche aber der unverschämten Reduzierung meiner aus tiefen inneren Sinn-Quellen fließenden Lebensaufgabe aufs Geld.

Auch habe ich schon gehört: „Du bist so intelligent, warum hast Du aus Deinem Leben nichts gemacht?" „Aber das habe ich doch und mehr als andere." „Aber mit Deinen Noten hast Du doch nichts verdient, und mit Deinen Büchern schon gar nichts. Mach doch mal etwas anderes, schreib ein Musical oder wenigstens ein paar Schlager, das kannst Du doch. Deine Musik will doch niemand hören, die kannst Du doch als Hobby machen, oder als Filmmusik verkaufen, für Grusel-szenen. Du könntest doch wenigstens Professor sein, wie dein Freund."

Da gibt es nicht die Frage, die auf den Inhalt meiner Arbeiten, z. B. meiner Kompositionen bis hin zu den großen Oratorien zielt, oder meiner Bücher, überhaupt auf mein Lebenswerk. Sondern im Blick auf das Geld gilt es nur, Abwertung auszudrücken. Was kein Geld bringt, ist in den Köpfen der meisten Menschen nichts wert. So denkt der Geldvernagelte. Und dann die Unverschämtheit, mir eine geldbringende Tätigkeit zu empfehlen. Was nehmen sich die Leute heraus, mich am Maßstab ihres kranken Gelddenkens auf ein Geldnichts zu reduzieren? Warum empfiehlt man mir nicht, ein Bordell zu eröffnen, oder als Berufskiller Geld zu verdienen, oder als Banker usw. Das alles wäre doch lukrativer und von daher auch anerkennenswerter. Und tatsächlich wurden und werden solche Leute geadelt und mit Ehren der verschiedensten Art überhäuft: Generäle, Henker, Mafiosi . . .

Ich habe eine Freundin, der ging es ähnlich. Sie war Liedermacherin und brachte eine bemerkenswerte CD mit berührenden Liedern heraus. Die Texte und die

Musik hatte sie selbst verfasst und gesanglich auf hohem Niveau realisiert. Ich kenne weniges auf diesem Gebiet, das besser ist. Außerdem bot sie Jahreskreistreffen und Frauengruppen an und leitete einen Singkreis. Ihr geistiger Hintergrund hatte seine Wurzeln im schamanischen Bereich. Wunderbar!

Eigentlich hätte es ihr finanziell besser gehen können als mir, denn ihre Stücke waren gesellschaftskompatibler als meine. Aber nein, ihr fehlte das Marketing und damit verbunden, die Fähigkeit, ihr geistig Intimstes zur Ware zu machen und sich als Verkäuferin der eigenen Seele zu betätigen. Klingelt da etwas? Hat darüber nicht unser Dichterfürst Goethe seinen Faust geschrieben und Wagner seine Ringopern komponiert, in denen die Jagd nach Gold zum Untergang führt? Meine Freundin kam finanziell nur auf einen recht morschen, schon beinahe schwarzen Zweig. Ja, sie hätte wie einer ihrer „erfolgreichen" Kollegen nicht Deutsch fürs Lehramt, sondern Betriebswissenschaft studieren sollen und die innere Brutalität zwecks Selbstverstümmelung erringen müssen, um ihre Seelenware feil zu bieten. „Mach's doch wie Helene Fischer, ihr toller Song „Atemlos durch die Nacht", der bringt Geld." wurde ihr gesagt und so manche erniedrigende Frechheit mehr. Schließlich war das alles für sie nicht mehr auszuhalten, und sie begab sich in psychologische Behandlung. Da traf sie auf das, was Adorno das Realitätsprinzip nannte. Sie war von einer

Hölle in die nächst tiefere gefallen. Sich anzupassen und sich als Angepasste durchzusetzen, das war nun die oberste Devise. Das Beste, ihr Liedermachen, ihre Musik, ihre Gruppen, das sei alles Unfug, denn das sei nichts wert, weil sie damit kaum Geld verdienen könne. „Also lass den Quatsch, stampf das Beste, was Du hast ein. Komm heraus aus deinem Traumland und verlass Deinen Freund, der scheinbar auch so ein Spinner ist."

Welch eine Katastrophe! Wäre ihre Psychologin ihr Geld wert gewesen, hätte sie meiner Freundin geholfen, ihre ureigenen Lebensquellen gesellschafts-kompatibel und damit im Sinne materpaklitistischer Kultur fruchtbar zu machen, ohne dass sie Verrat an der eigenen Seele hätte begehen müssen. Aber das geschah nicht. Ihr Bestes zu verleugnen und damit ihre Kraft- und Lebensquellen verdorren zu lassen, darauf wurde in der „Therapie" hin gearbeitet. Welch ein Verbrechen!

Gilt die reduzierende Geldperspektive nur für „ver-rückte" Künstler bzw. allgemein für Außenseiter? Nein, natürlich nicht. Das Reduziertwerden aufs Geld gilt für alle. Anerkennung und zwar exponentiell aufsteigend hat der Reiche, Besitzende, Mächtige, am besten der mit einem großen Turm, einem Fuhrpark und Flugzeugen. Dass er die Welt zerstört, spielt dabei keine Rolle. Er hat Geld, viel Falschgeld und die größte Macht. Deshalb wird er angebetet. Daran ändert nichts, wenn er sagt, dass er ungestraft jeden erschießen und jeder Frau an die Scheide fassen kann und gegenüber seinen Amtskollegen prahlt, er hätte den Längsten. Der hirnlose Pöbel jauchzt vor Freude und baut diese Schreckensfigur unentwegt auf. Da richtet sich Demokratie wahrhaftig gegen sich selbst. Sie leidet an einer schweren Autoimmunkrankheit, die ihren Infektionsherd im Kapitalismus hat. Von diesem Herd geht auch die Rechtslastigkeit dieses Landes und derzeit überhaupt auf der Welt aus. In seinem gerade heute aktuellen Vortrag „Aspekte des neuen Rechtsradikalismus"[30], der auf die alte NPD gemünzt war, schreibt Theodor W. Adorno: „Ich möchte davon ausgehen, … dass die Voraussetzungen faschistischer Bewegungen … gesellschaftlich fortbestehen. Dabei denke ich in erster Linie an die nach wie vor herrschende Konzentrationstendenz des Kapitals, … an der im Ernst kaum ein Zweifel ist. Diese Konzentrationstendenz bedeutet nach wie vor auf der einen Seite die Möglichkeit der permanenten Deklassierung von Schichten, die ihrem subjektiven Klassenbewusstsein nach durchaus bürgerlich waren, die ihre Privilegien, ihren sozialen Status festhalten möchten und ihn womöglich verstärken … Diese Gruppen tendieren nach wie vor zu einem Hass auf … das, was sie Sozialismus nennen … Sie verschieben die Schuld an ihrer eigenen … Deklassierung nicht etwa auf die Apparatur, die das

---

[30] Theodor W. Adorno, Aspekte des Rechtsradikalismus, Suhrkamp 2019

bewirkt, sondern auf diejenigen, die dem System ... kritisch gegenüber gestanden haben ..."

Adorno sieht das falsche zu verändernde Bewusstsein im Keynesianismus, der auf John Maynard Keynes[31] zurückgeht und der noch heute für den Neoliberalismus, vor allem der FDP, die Richtschnur ist. Trotz aller Gegensteuerungsmaßnamen werden im Keynesianismus nach Adorno die Reichen reicher und die Armen ärmer, was letztlich Ausbeutung, Arbeitslosigkeit und grenzenlose Unzufriedenheit bewirkt. Anstatt das kapitalistische System mit seinen vielen Gesichtern als Verursacher anzusehen und sich denen, die dagegen kämpfen anzuschließen, sucht der Deklassierte Schutz bei den vom Großkapital finanzierten Rechten, den Realisierern der Unterdrückung bzw. der Ausbeutung und sogar blutiger Vernichtung zum Geldwohl der sie aussaugenden Reichen. Das war früher so und ist es heute wieder.

Schon damals landete ein armer und deshalb machtloser Mensch blutend am Kreuz, obwohl er, wie manche meinen, sogar ein Gott war. Er hatte die Geld und Macht Besitzenden gestört, die unentwegt um das goldene Kalb tanzten und das bis heute tun.

Die Reaktion auf solche Störung war damals blutig, und daran hat sich nichts geändert. Aber muss das so

---

[31] John Maynard Keynes, britische Ökonom, 1883 - 1946

bleiben? Nein, in einer materpaklitistischen Kultur kommt das alles nicht vor.

3.   In-Sein, Mode und Rollen

Es gibt auch ideologische Spielarten, die allerdings nicht so genannt werden und die derart zur Normalität gehören, dass sie nicht weiter auffallen. Die erkennt man dann daran, was „in" ist oder „out" bzw. an der Mode und ihren psychologisch ausgetüftelten übergriffigen Angeboten, und diese Bereiche überschneiden sich meistens.

Was gemeint ist, kann zunächst das bekannte Gedicht von Erich Kästner verdeutlichen:

Sogenannte Klassefrauen
von Erich Kästner

Wenn es Mode wird, sie abzukauen
oder mit dem Hammer blauzuhauen,
tun sie's auch. Und freuen sich halbtot.
Wenn es Mode wird, die Brust zu färben,
oder falls man die nicht hat, den Bauch ...
Wenn es Mode wird, als Kind zu sterben
oder sich die Hände gelbzugerben,
bis sie Handschuh'n ähneln, tun sie's auch.

Wenn es Mode wird, sich schwarzzuschmieren
Wenn verrückte Gänse in Paris
sich die Haut wie Chinakrepp plissieren ...
Wenn es Mode wird, auf allen Vieren
durch die Stadt zu kriechen, machen sie's.
Wenn es gälte, Volapük zu lernen
und die Nasenlöcher zuzunähn
und die Schädeldecke zu entfernen
und das Bein zu heben an Laternen, –
morgen könnten wir's bei ihnen sehn.
Denn sie fliegen wie mit Engelsflügeln
immer auf den ersten besten Mist.
Selbst das Schienbein würden sie sich bügeln!
Und sie sind auf keine Art zu zügeln,
wenn sie hören, daß was Mode ist.
Wenn's doch Mode würde, zu verblöden!
Denn in dieser Hinsicht sind sie groß.
Wenn's doch Mode würde, diesen Kröten
jede Öffnung einzeln zuzulöten!
Denn dann wären wir sie endlich los.

Der Schluss ist aggressiv, geradezu mordlüstern und wirklich sehr übel. So geht es auch nicht, lieber empörter Kästner. Warum lässt du Frauen sich nicht anziehen und bemalen, wie sie wollen. Aber Du hast in einer Hinsicht recht. Es geht ja gar nicht um das, was sie wollen: Es geht um Mode, also um das, was die

Mode will, was Frauen wollen sollen und was sie leider oft auch befolgen.

Modegeilheit ist nun allerdings kein Alleinstellungsmerkmal für Frauen. Scheinbar denkt Kästner allerdings so und tut auch damit den Frauen Unrecht.

Denn abgesehen davon, dass nicht alle Frauen Klassefrauen im Sinne Kästners sind, was er allerdings auch nicht behauptet, gibt es nicht weniger auch Klassemänner. Dazu meine nötige Ergänzung, die ich allerdings auf unsere Zeit münze:

Sind nicht diese Lümmel
die ihre Haare um den Pimmel
ums Verrecken
kaum bedecken
mit Löchern meistens in der Hose
den Steiß bedeckend, doch nur lose
die Faltenjeans fast in den Knien,
unfähig sie dahin zu ziehen,
wo sie gewöhnlich sitzen sollte,
weil die Mode es nicht wollte.
Und erst die Fratzen mit ihren Glatzen
und die, die über beiden Ohren
adolfhitlerhaft geschoren....
sind die nicht blöder als die Frauen
die angeblich Nägel kauen,
was Kästner ihnen unterschob,

was jedoch nicht stimmte
was jeder weiß, gottlob,
und mich,
und nicht nur mich,
ergrimmte.

Vor mir sitzt Nelly, ein 13-jähriges Mädchen. Sie ist gekleidet wie eine, die unbedingt dazugehören will, wie das auch die meisten modebewussten Jungmänner wollen. Sie trägt eine gezielt zerrissene Hose, hat schwarz lackierte Fingernägel und blau gefärbte Haare. Und, ey, sie spricht natürlich Slang, Jugendsprache. Die „Hucki-Hucki"-Schuhe von früher sind nicht mehr in. Dafür Converse. Ich mag sie in ihrer Unschuld.

Sie möchte Gitarre spielen lernen. Ihr das beizubringen ist allerdings nicht leicht. Mit meiner Idee, ihre Möglichkeiten in dieser Kunst von Grund auf entstehen zu lassen, scheitere ich völlig. „Nein, die richtige Haltung ist doch egal, ich halte die Gitarre wie meine Freundinnen und andere Leute auch. Wozu Spieltechnik, es geht doch auch ohne. Guck mal!" und sie spielt. Nicht ein Ton kommt sauber, es klingt wie auf dem Waschbrett. „Wozu Noten, das ist was für Asis! Lass mich mit deinen Babyliedern. So etwas will ich bestimmt nicht", und sie holt ihr Handy hervor und lässt ein Lied aus den Charts ablaufen. Ich höre mir das an und versuche es nachzuspielen. „Nein das klingt doch völlig anders!". „Ich spiele es ja auch auf der

Gitarre, dabei hört man keine Sing-Stimme." „Das ist Scheiße, ich will es so spielen, wie es hier klingt". „Kannst Du irgendetwas auf der Gitarre spielen?" „Ja, zwei Akkorde." Sie demonstriert das. „Schau mal, es könnten alle Töne klingen, wenn Du so greifen würdest. „Im Internet ist das aber auch so, wie ich das spiele, niemand greift so wie Du." usw.

Einmal, als sie von der Schule kam, sang sie das alte Schülerlied auf die Melodie von „Leise rieselt der Schnee" vor sich hin:

> Leise rieselt die Vier
> auf das Zeugnispapier,
> Fünfen und Sechsen dazu;
> freue dich, sitzen bleibst du.
>
> Traurig gehst du nach Haus,
> alle lachen dich aus,
> hör nur, wie lieblich es schallt,
> wenn Vaters Backpfeife knallt.

Lassen wir die Frage nach ihren häuslichen Verhältnissen beiseite und fragen nicht, warum sie so ist, warum sie den Familienersatz in ihrer „Mädchen-Gang" - wie sie sich ausdrückt - derart stark braucht. Will sie überhaupt Gitarre spielen lernen oder nur in ihrer Gruppe glänzen?

Wieder einmal begegnet uns das Phänomen des blinden Dazugehörenwollens, was das eigene Wachstum lähmt.

In dem Theaterstück „Kaspar"[32] von Peter Handke kommt gleich am Anfang der Satz vor:

„Ich möchte ein solcher werden, wie einmal ein anderer gewesen ist."

Auf Nelly angewandt könnte der Satz lauten:

„Ich möchte ein Mädchen werden, wie meine Freundinnen es schon länger sind."

Da liegt das Problem. Ihr Satz lautet nicht: „Ich möchte werden, was ich wirklich bin, möchte meine Anlagen und Begabungen entdecken und mich ihnen gemäß entwickeln." Ihr Hauptanliegen ist In-Sein, Dazugehören, und dafür tut sie, was sie kann. Deshalb ihre Uniformierung, wie sie in allen Gruppen anzutreffen ist, vom Militär über die Rechtsextremen bis hin zu Pfadfindern und den fraglichen Klassefrauen bzw. Klassemännern, Bhagwan-Anhängern, Priestern, Pastoren und - immerhin, welch Fortschritt! - Pastorinnen. Auf Priesterinnen müssen wir noch warten. (Sind die Kirchenoberen eigentlich verrückt oder nur machtgeil?)

---

[32] Peter Handke, Kaspar, Suhrkamp 1968

Andere gehen noch weiter, wenn ihre Gruppe es erfordert: kleiden sich schwarz, nehmen Drogen, geraten in die Prostitution usw.

Ja, nur dazu gehören, das ist das Wichtigste, und wenn es die Nazis sind oder der IS.

Der Mensch ist ein ausgemachtes Gruppenwesen. Es gäbe ihn nicht ohne die Gruppe. Ohne eine Gruppe wird er psychisch krank. Das ist dem Psychologen Horst Richter Anlass gewesen, die Gruppe als Therapeutikum einzusetzen. Dazugehörenwollen bzw. -müssen sitzt tief in den Genen. Eine Todesstrafe bei den Frühmenschen war es, jemanden aus der Gruppe zu werfen. Zu der psychischen Not kam dann noch die existenzielle. Das klingt bis heute nach, und für manche ist ein solcher Herauswurf noch immer so etwas wie die Todesstrafe.

Ich hatte eine Schülerin, die sich als Glied einer Frauengruppe fühlte. Aber leider gab es bei diesen Frauen die berühmte „Stutenbissigkeit". Kein schönes Wort, aber es war so. Irgendwann flog Egonia aus der Gruppe raus. Zuerst glitt sie danach in eine äußerst schwere Depression. Sie wurde hospitalisiert, erlitt 20 Elektroschocks, was ihre Lage nur verschlimmerte. Dann bekam sie Krebs und starb.

Eine solche Entwicklung, die in die Vereinsamung führt, widerspricht natürlich völlig dem materpaklitistischen Denken und kann niemals die Lösung in der Frage nach der schwierigen Balance zwischen Gruppe und Individuum sowie - was damit zusammenhängt - der Balance zwischen weiblicher und männlicher Energie sein (siehe auch nächstes Kapitel). Die Lösung liegt im Meistern dieser komplexen Balance, und nur darin, alias in der Dialektik zwischen solchen Polen. Dass solche Balance gelingt, setzt allerdings voraus, dass es überhaupt Individuen gibt, Menschen also, die ihr Spezifisches, ihre Lebensquellen gefunden haben. Das aber wird, wie wir schon fanden, mit staatlicher Gewalt abtrainiert. Die Selektionsmechanismen arbeiten wie eine Brikettfabrik, mit dem Unterschied allerdings, dass in der Schule und der weiteren Ausbildung, krass ausgedrückt, menschliches Lebendmaterial verarbeitet wird, was - um es noch einmal zu unterstreichen - letztlich Bestien wie Hitler hervorbringt und was in anderer Weise auch an Nelly zu erleben war.

Kommen wir noch einmal auf sie zurück. Sie steckte voller guter Potenziale. Aber die konnte ich nur ahnen, denn sie versteckte sie - und sich überhaupt - hinter ihrem Handy bzw. Smartphone und dem, was dieses Teufelsgerät hergibt. O Gott, sie erinnert mich an Sylvia Plath und ihr Schreckensbuch „Die Glasglocke"[33]. Dieses Abgeschottetsein, diese Kontaktunfähigkeit, dieses Sehnen nach Leben und daran nicht mehr teilnehmen können; das ist der Tod. Und tatsächlich nahm sich auch Sylvia Plath das Leben.

---

[33] Sylvia Plath, Die Glasglocke, Suhrkamp 2005, 9. Aufl.

Mich berührt das tief, und ich denke und fühle: Nelly könnte es ähnlich gehen. In all den Monaten unserer Unterrichtstreffen zog sie nur einmal kurz den dicken Schleier von ihrer verkümmernden Seele: Sie lächelte kurz. Da gab es für eine Sekunde die Schönheit eines direkten menschlichen Kontakts. Mir kamen fast die Tränen, und ich hatte Mühe, sie wegzudrücken. Vielleicht bemerkte Nelly das, jedenfalls drehte sie sich weg.

Es ist entsetzlich, anstelle eines anderen Menschen einer austauschbaren Plastikwand aus Handymüll zu begegnen und sie trotz aller guten Gefühle der Zuwendung nicht aufweichen zu können.

Ich habe ein Märchen ersehnt und gehofft, dass Nelly sich in einen Menschen verwandelt und aus ihr als fleischgewordenem Handy das Mädchen, als das ich sie tiefer blickend sah, aufsteigt.

Das aber geschah nicht. Einmal erzählte ich ihr, dass Kinder im Kongo zwecks Abbau von Coltan, einer Substanz, ohne die Handys nicht gebaut werden können, in enge Erdlöcher kriechen und oft ersticken, verschüttet werden und sterben. „Ist mir doch egal, ich muss in sein und mit meinen Freundinnen telephonieren können" antwortete Nelly.

Nun sind natürlich nicht alle so extrem wie Nelly. Und auch ist zu berücksichtigen, dass die Pubertät zu diesem Erscheinungsbild das Ihrige beitrug. Allerdings kann man das, worum es hier geht, wie unter einem Vergrößerungsglas sehen.

Die Modesucht und damit das Sich-Uniformieren und darin das Sich-selbst-Verleugnen und im Extremfall das Zu-einem-defizitären-Nichts-Werden, zu einer Nachplappermaschine zwecks Gefallen-Wollens, ist unterschiedlich stark ausgebildet. Es gibt, wie alle wissen, auch mildere Krankheitsverläufe. Sonst gäbe es auch überhaupt keine Gemeinschaft, in der der einzelne Mensch leben könnte. Doch diese Gemeinschaft gibt es offensichtlich, wenngleich als kranke und an einigen immer größer werdenden Stellen als braun verfaulende.

Aber die schlimmen Extremverläufe sind eben auch nicht zu leugnen. Dann sind Menschen im Denken, Fühlen und Empfinden paraideologisch festgefahren, sind modisch zugepappt, wie es in voll ideologischer Weise Kapitalisten alias Konservative bis hin zu den Braunen, aber z. B. auch in anderer Perspektive bis hin zu den Staats-Kommunisten sind.

Wie dem auch sei. Tatsache ist, dass sich fast alle Menschen maskieren und darin sich selbst verlieren, und alle tun das in prinzipiell gleicher Weise. Man findet unter Menschen welche, die echt sind, ohne Verstellung, so, wie die Tiere in ihrer Ehrlichkeit. Es gibt überwiegend nur Modeerscheinungen, herumlaufende Handys, Fernseher, Illustrierte usw., die so aussehen wie Menschen alias Befehlsempfänger des auf Zielgruppen abgestimmten Konsumguts, z. B. auf Jugend-liche, die zu Zombies werden sollen. Diese suchen dann ihresgleichen in den entsprechenden Filmen, Schund-romanen usw., aber nicht nur dort, denn der Lebensdurst wird im inneren Knast stärker. Die Einsamkeit ist irgendwann nicht auszuhalten. Konsum, Sex und Drogen sind dann oft dran. Aber das ist dann auch nur das Immergleiche, ist Reproduktion, ist austauschbar, wird langweilig, denn das Individuum, das aus eigenen einmaligen Quellen lebt, wurde eliminiert und tobt nun im Hamsterrad. Also noch einen Schritt weiter in Richtung vermeint-liche Rettung? Dann lockt die heile Welt, das Sichere, das Beständige, dann kann es sein, dass für die, die in ihrer extremen Spur festsitzen, sogar Hitler bzw. die Ultra-braunen oder gar der IS eine befreiende Verlockung sind: Nur raus aus der inneren Ödnis des Immer-gleichen.

Neben Ideologien und des In- oder Out-Seins bzw. der Mode muss noch Anderes und Gravierenderes, das in dieselbe Richtung zielt, genannt werden. Das sind die unzähligen Rollen, die Menschen spielen: private, berufliche, stimmige oder unstimmige. In der zuletzt genannten Dimension steht der Mensch mit seinen Gefühlen und Empfindungen hinter seinem Rollenspiel, oder eben auch nicht. In meinem Buch „Eine kleine Philosophie der inneren und äußeren Befreiung"[34] habe

---

[34] Martin-Aike Almstedt, Eine kleine Philosophie der inneren und äußeren

ich dieses Thema formelhaft ausgearbeitet und anhand von Sprachformen Stimmigkeit bzw. Unstimmigkeit zwischen den miteinander verbundenen Bewusstseinslagen in den Bereichen Empfindung, Gefühl, Wahrnehmung und Kognition dargelegt.

Stimmig ist danach die Rolle eines Verkäufers, der mit innerer Freude seine Ware anpreist. Unstimmig hingegen die eines Menschen in der Soldatenrolle, der widerwillig Befehlen folgt und Menschen erschießt. Egal welche Rolle jemand in welcher Weise spielt, die Rolle ist immer übel, wenn sich jemand damit identifiziert und jede Verantwortung für sein Handeln der Rolle überlässt. Dann kann ein Mensch in der Lehrer-Rolle auch „aussieben" oder in der Soldatenrolle töten, vergewaltigen, Orden und Ehren empfangen usw.

Was immer mit der Rolle gegeben ist, ist die Möglichkeit der Lüge, die im unmittelbaren Kontakt von Mensch zu Mensch sehr schwer nur möglich ist, jedoch im So-Tun-als-ob-Spiel viel leichter fällt. Denn da lügt man ja nicht, es lügen nur angenommene Rollen.

Was ist der gemeinsame Nenner von all dem? Gleich, ob ideologie-, mode-, in- oder out-sein- oder rollen-fixiert, der Mensch ist von sich selbst entfremdet, verkümmert hinter seinem Dressat des prinzipiell und

Befreiung, Verlag felipen-design Göttingen, 2015

qualitativ Gleichen und versucht, wie auch immer, aber meistens sich selber, andere und anderes schädigend, auszubrechen. Das geschieht durch Potenzierung des Lebensersatzes (was manchmal gewaltige Formen annimmt, siehe Trump), oder durch Gewaltexzesse im Fahrwasser des Extremismus.

Teil 2   Das Andere

Kapitel 7
Das Eine und das Andere

1.   Weiblich-männliche Polarität

Es wurde die Dialektik zwischen dem ideologisch Einen und dem materpaklitistisch Anderen aufgezeigt. Dem soll nun vertieft nachgegangen werden. Grundlegend zeigt sich diese in der lebensnotwendigen Polarität zwischen dem weiblichen und dem männlichen Prinzip. Diese Polarität ist quer durch die Natur angelegt und gehört wie die unzähligen Weisen des Zusammen-lebens zur Grundlage materpaklitistischer Kultur.

Man sagt zurecht: Ein Mann wird erst gegenüber einer Frau zum Mann und eine Frau erst gegenüber dem Mann zur Frau. Gemäß unserer Familienauffassung (s.o.) formulieren wir diesen Satz um, der dann mit kleinen Ausnahmen prinzipiell auch für die entspre-chenden Polaritäten in der Natur insgesamt gilt:

Die männliche Energie erfüllt und erhält sich erst gegenüber der weiblichen und die weibliche Energie erst gegenüber der männlichen. Außerhalb solcher

Polarität stirbt letztlich das Einzelwesen und auch seine Gattung.

Diese Polarität allerdings kann im menschlichen Bereich kaum zwischen Masken zwischen Prostituten im Raum der Uneigentlichkeit, des Ersatzes, stattfinden. In einer Rede, in der sich Jiddu Krishnamurti an die Schüler, und Lehrer seiner Schulen in England, Amerika und Indien wandte sagte er u.a.:

„After all, working together means meeting each other at the same level- not inferior and superior. I may not know as much as you do, but you convey to me. Even though you know much more, we are doing things together. After all in the relationship between the teacher and the taught, the educator and the one who is being educated, if there is this sense of communication, that is building together, learning together, then the whole thing changes. This is real communication." [35]

Ja, wenn die Masken fallen, ändert sich *„das ganze Ding".* Kommunikation von Herz zu Herz findet dann statt, Lebensstärkung durch Ergänzung im weiblich-männlichen Prinzip.

In gewisser Weise sind wir hier auch dem Philosophen Byung-Chul Han und seinem Buch „Die Austreibung des Anderen"[36] nahe. Auch Chul Han sieht die Entfremdung

---

[35] Jiddu Krishnamurti in The Krishnamurti Foundation Trust, Bulletin 99, 2018

[36] Byung-Chul Han, Die Austreibung des Anderen, Fischer-Verlag, Frankfurt 2016

des Menschen von sich selbst, vermisst das individuell Einzigartige, das hinter Masken bzw. Rollen verschwindet, und sieht den modernen Menschen wesentlich weltweit als Konsumempfänger und -träger im Refugium des Uneigentlichen. Dabei betont er das Problem des Digitalen, als Förderband des Lebensersatzes im weltumspannenden Netz der elektronischen Medien, der Datenschutzproblematik und der Handyseuche. Besonders sieht er in der Globalisierung eine gewaltige Potenzierung des Gleichen durch „Austreibung des Anderen", was maskenlose Kommunikation, die wir als materpaklitistische erkennen und die Krishnamurti „wirkliche" nennt, verhindert.

Damit ist bereits der Schritt von der kranken Polarität zwischen dem männlichen und dem weiblichen Prinzip zum Allgemeinen hin vollzogen. Dem soll nun vertieft nachgegangen werden.

2. Fixierung und Lösung

Wir haben Ideologien und ideologieähnliche Phänomene benannt und könnten darin fortfahren, kämen dabei jedoch an kein Ende. Deshalb stellen wir die Frage: Was ist das Gemeinsame aller solcher Bewusstseinsphänomene? Zwecks Beantwortung schließen wir psychologische Betrachtungen aus, da auch dabei keine endgültige Antwort zu erwarten ist. Statt dessen wollen wir die Frage bewusstseinsphilosophisch angehen. Dabei fällt auf, dass in allen diesen Fällen Fixierung eine wesentliche Rolle spielt. Das, was das Bewusstsein ständig herstellt, das Denken in Worten bzw. Begriffen nämlich, läuft leer.

Denken ist, wie gesagt, das Herstellen von Identitäts-/ Diversitäts-Relationen.[37] Das bedeutet: Denken besteht im Unterscheiden und Verbinden, hier von Worten bzw. Wortbedeutungen. Wenn diese Bewegung aufhört und nur Identität, das Immer-Gleiche hergestellt wird, verlässt der Mensch den Bereich des produktiven Denkens[38]. Wenn er dabei auf der Seite der Identität festklebt wie die Fliege am Leim, beginnt der Glaube und damit ein Feststecken in dem einen oder anderen Gedankengebäude, in Ideologien oder ideologieähnlichen Abarten. Wenn hingegen Fixierung auf die Diversität im Denkvollzug gegeben ist, perenniert der Zweifel, was zur Verzweiflung führt. Beides ist schädlich, entmenscht den Menschen als denkendes Wesen und führt in den Abgrund.

Nun darf nicht angenommen werden, dass die Lösung dieses Problems in der ständigen dialektischen Bewegung zwischen Identität und Diversität liegt. Dann wäre der Mensch ein unablässig denkender ohne irgend eine Gewissheit. Auch das würde in der Praxis des Lebens in die Irre führen. Selbst Philosophen der

---

[37] s. Fußnote 28
[38] Max Wertheimer, Produktives Denken, Verlag Kramer 1964

Dialektik, wie Hegel, Adorno oder Collmer kämen damit in der Praxis des Lebens nicht klar. Sie wären sich dann der einfachsten Dinge des Lebens nicht gewiss und müssten sich z. B. dann, wenn sie mit einem Fahrzeug fahren wollten, zunächst fragen, ob es sich überhaupt um ein Fahrzeug handelt, und wenn sie vorhätten, die Tür des Wagens zu öffnen, wäre die Frage angebracht, ob es überhaupt eine Tür ist, oder ob es vielleicht etwas anderes ist, vielleicht ein Kaktus. Hier täte sich dann die schiefe Ebene der Verrücktheit auf.

Gewissheiten, die mit anderen geteilt werden können, sind gruppen-, kultur- und damit lebensnotwendig, und sind bereits im Tierreich in anderer Form zu finden. Sind solche Gewissheiten beim Menschen nicht gegeben, fällt der oder die betreffende aus dem gültigen Spektrum der Kommunikation heraus und dem Irr-Sinn zum Opfer.

Das heißt aber auch, dass Vor-Urteile lebensnötig sind, sofern sie sich als fixierte nicht zu lebenbehindernden, gar lebentötenden, also zu Vorurteilen entfalten.

Vor einigen Wochen fiel mir in dem Bäckerladen, wo ich hin und wieder einen Cappuccino trinke, eine Verkäuferin auf, die alles gut und richtig machte und dazu den Kunden freundlich zugewandt und dabei flink war, ohne hektisch zu sein, eine Frau mittleren Alters im kurzen Polo Shirt, schwarzhaarig, ein eher östlicher Typ. Irgendwie aber war sie anders als die sonstigen Verkäuferinnen. Sie war da und nicht da. Als sie mir den Kaffe reichte, sah ich ihre bloßen Arme und war überrascht. Über und über mit Blumentattoos geschmückt kamen sie mir wie aus einem Märchen entgegen.

„Vielen Dank" sagte ich, den Cappuccino annehmend, „und noch dazu von einem Blumenmädchen." Ich weiß wirklich nicht, wer oder was da aus mir sprach. In jedem Fall hörte sich das herzlich an. Sie war überrascht und amüsierte sich über das offensichtlich unpassende Wort „Mädchen", das sie, die Stimme nach oben ziehend, gedehnt wiederholte. Meinen Entschuldigungsversuch winkte sie freundlich aber wie nicht anwesend ab.

Ich war verunsichert. Wie kam ich überhaupt dazu, sie, eine erwachsene Frau, anzusprechen und mich dabei gleich auf ihre Tattoos zu beziehen, zumal mir großflächige Tätowierungen in der Regel als eine modische Geschmacksverirrung erscheinen.

Dieses Mal jedoch berührten mich die Tattoos, ohne dass ich dafür einen Grund hätte nennen können.

Merkwürdigerweise änderte sich das auch in den folgenden Wochen anlässlich weiterer Cappuccino-Siestas in dieser Bäckerei nicht. Im Gegenteil.

Meine Verunsicherung blieb bestehen. Ist das nun eine Art modisches Accessoire oder etwas anderes? Und wieso bewegt mich das, obwohl ich normalerweise gerne über derartiges hinwegsehe? Ich fühlte mich einem Rätsel ausgesetzt. Und diese Gefühl wuchs sich deutlich aus, als ich am Hals dieser Frau auch noch die Tattoos kleiner lustig hoch- und niederhüpfender Noten entdeckte. Ein bisschen wie in Kindernotenbüchern, und dazu passen auch die Blumentattos, dachte ich spontan.

Eines Tages ergab sich die Gelegenheit, die rätselhafte anzusprechen. Niemand war sonst im Laden, und so sagte ich: „Kann es sein, dass Sie nicht immer diesem Beruf als Bäckereifachverkäuferin nachgingen"? „Wieso?" fragte sie ein wenig brüsk. „Irgendwie wirken Sie auf mich anders, aber ich kann das nicht erklären." Sie schaute mich an: „ Sieht man das? Woran denn?" Eine kleine Pause entstand. „Ja, ich habe schon in vielen Berufen gearbeitet, sogar als Umzugshelferin". Sie zählte noch weitere Tätigkeiten auf. „Gelernt habe ich nichts. Ich bin hierhergezogen, um bei meinem Enkelkind zu sein." Eine kleine Pause entstand. Dann kam der Satz: „Aber sie ist im Februar gestorben."

Ich war völlig betroffen. Das also war die Lösung des Rätsels. „Hier, schauen Sie mal." Sie zeigte mir ihre rechte Hand. Darauf war eine große blumengeschmückte Zahl tätowiert. „Das Todesdatum" sagte sie. Dann schob sie ihr Shirt am Kragen etwas zur Seite. Ich sah eine handähnliche schwarze Tätowierung über ihrem Herzen. „Der Handabdruck meiner Kleinen" sagte sie. Jetzt kamen mir wirklich die Tränen. Dann hörte ich die Worte: „Was soll ich jetzt machen, ich habe ja nichts gelernt."

Ein Kunde trat ein. Schlagartig wurde sie wieder unnahbar, war wieder wie nicht anwesend, sagte zu mir aber noch, bevor sie sich dem Kunden professionell zuwandte.: „Ja, ich könnte auch weinen, den ganzen Tag, aber..." Ich ging mit den Worten: „Danke, dass Sie mir das erzählt haben." Sie lächelte ein wenig. Eine Woche später wurde ihr gekündigt.

Es gibt einen berühmten Zen-Satz, der die gezeichnete Problematik des Vorurteile-Habens, wie ich sie im Bäckerladen in überheblicher Weise sehr leicht hätte haben können, auflöst: „Haben als hätte man nicht". Das bedeutet hier, Gewissheiten zu haben, als hätte man sie nicht. Alles immer im Modus des Relativierenkönnens, sogar des völligen Loslassenkönnens, denkend zu haben und nicht etwas als gewiss Geglaubtes ständig zu reproduzieren, was, wie gesagt, nicht eigentlich Denken ist, denn das sollte immer auch kreativ sein. Eher handelt es sich dann um einen mehr oder weniger pathologischen Nachplapper- und Reproduktionszwang. Gottseidank unterlag ich dem in der Bäckerei nicht, und so wurde in meinem Kopf und Gefühl aus einem fragwürdigen Tattoo ein Bildnis zur Verarbeitung eines schweren Traumas.

Ich gebe nun Beispiele aus dem täglichen Leben für das Relativieren bzw. Loslassen nicht unsicher, sondern fest geglaubter Gewissheiten:

Es klingelt an meiner Wohnungstür. „Das ist Georg, denke ich und habe gleich sein Bild vor Augen. Doch als ich die Tür öffne, steht ein mir unbekanntes Mädchen vor mir. Sie schaut mich erstaunt an und fragt dann: „Hallo?" Da erkenne ich sie. „Juna", sage ich, „entschuldige, aber ich habe Georg erwartet." „Wir haben doch getauscht." „Das hatte ich ganz vergessen", antworte ich."

Eine andere Szene, in der die Erwartung - ein „Vorurteil" - von etwas zunächst nicht eintrifft:

Vor Jahren lief ich selbstvergessen durch den Wald. Der innere Dialog schlief dabei ein. Da tat sich vor meinen Augen eine Ebene auf und ich sah in der Ferne ein mir unbekanntes Dorf. „Jetzt habe ich mich doch tatsächlich verlaufen. Gibt es das?" dachte ich, „aber das kann doch nicht sein, ich kenne die Gegend ganz genau und zwar seit vielen Jahren." Nach Orientierung suchend blickte ich hin und her. Dann war es plötzlich wie ein Ruck und das Dorf vor mir veränderte sich. Die Häuser waren weißer und standen getrennter von einander. „Das kenne ich doch" dachte ich und im selben Augenblick erkannte ich das Dorf wieder und zwar als das Dorf, in dem ich lebe.

Oder: Als ich vor Jahren durch Göttingen ging, sah ich von hinten eine Frau. Nach ein paar Schritten drehte sie sich um, und ein Schreck durchfuhr mich: Sie trug einen langen Bart. Im selben Augenblick verwandelte sich die Erscheinung und vor mir ging ein Mann.

Worauf will ich hinaus? In allen diesen Situationen war zuerst eine Vorstellung bzw. Orientierungslosigkeit da. Dann gab es einen inneren Impuls oder einen äußeren Anlass, das zu verändern. Das wurde möglich, weil ich bereit war, in diesen Situationen meine Gewissheiten aufzugeben. Ein ideologisch bzw. paraideologisch geprägtes Festkleben z. B. auch im Modus des Recht-habenwollens fand nicht statt. Stattdessen erfolg-te eine Relativierung bzw. Umdeutung gewiss geglaub-ter Gewissheiten.

Der Vorgang ist prinzipiell unter dem Stichwort „Kipp- oder Inversionsfigur" bekannt.

Vor 50 Jahren habe ich das Orchesterstück „Faden-sonnen" geschrieben, das aus einem einzigen Akkord besteht, der je nach Einfärbung auf verschiedene Grundtöne kippt. Prinzipiell ist das mit jedem Akkord machbar, je nachdem in welchem harmonischen Zusammenhang er steht. Im optischen Bereich sieht man z. B. eine Vase, die in das Antlitz einer alten Frau umkippt oder einen Entenkopf, der plötzlich beim Betrachten ein Hasenkopf wird oder ein Dreieck, das sich ständig verändert. Victor Vasarely hat den Effekt künstlerisch genutzt, ebenso Penrose[39] und Escher[40] und davon ausgehend der Komponist Ligeti in seinem Klavierkonzert[41]. Robert Gernhardt hat einen Erzähl-

---

[39] Roger Penrose, geb. 1931 s. Penrose-Dreieck
[40] Douglas R. Hofstadter, Gödel, Escher, Bach, New York 1979
[41] György Ligeti, Konzert für Klavier und Orchester

band unter dem Titel „Kippfigur"[42] verfasst usw. Für die Neurowissenschaft ist dieses Bewusstseinsphänomen ein Forschungsgebiet und ebenso für die Biologie und auch in der Sprachphilosophie von Ludwig Wittgenstein ist die Kippfigur ein Thema. Im Umkippen ändern sich jeweils auch Gefühle und nicht weniger körperliche Empfindungen, also der Bewusstseinsgegenstand in toto.

Was ist daran in unserem Zusammenhang von Bedeutung? Zunächst, dass es dieses Phänomen sozusagen von Natur aus gibt, dann aber auch, dass im Grunde alles als Kippfigur angesehen werden kann, ja, sollte. Horst Mahler war ein ausgemacht linker Anwalt, der RAFler aus Überzeugung verteidigte. Später kippte seine Ideologie, er wurde ein radikaler Rechter. Theoretisch könnten aus Nazis Grüne werden und aus Christen Nazis, wie es in der Altnazizeit Superintendent Runte[43] vorgemacht hat und wie es ihm bis heute viele nachmachen. [44]

Die immer vorhandene Fähigkeit etwas kippen zu lassen, zu relativieren, ganz zu verwerfen oder umzudeuten ist allerdings allen Ideologisten und ähnlichen Leuten fremd. Die Hoffnung, dass aus Nazis materpaklitistisch Denkende werden, ist sehr gering. Das wirft die Frage auf, ob das Umgekehrte möglich

---

[42] Robert Gernhardt, Kippfigur, Fischer-Verlag 2004
[43] s.o. Kapitel 1.2 Naziphrasen und Verbrechen
[44] vgl. „Warum Christen AFD wählen", Oxalis-Verlag 2018

werden könnte: Unter Umständen ja, nämlich wenn materpaklitistisches Denken keine Fähigkeit zum Kippen in anderes Denken aufweist und materpaklitistisches Denken eine seiner wichtigsten Eigenschaften, nämlich die Offenheit zu Relativierung oder auch Verwerfung des als gewiss Geglaubten verloren hat. Das kann der Fall sein, wenn materpaklististisches Denken zur Ideologie, zum Materpaklitismus, erstarrt. Dann ist materpaklitistisches Denken, das die Möglichkeit seiner Relativierung bis zum Umkippen in ein anderes immer mitdenkt, nicht mehr existent. Aus seinen Handlungen fließt dann letztlich auch Gewalt wie aus jeder Ideologie und ihren Spielarten.

Dass es dahin kommen könnte, verbietet sich im materpaklitistischen Denken allerdings von selbst, denn materpaklitistisches Denken, Fühlen und Empfinden will zum Anderen bzw. zum anderen Menschen und durchbricht in der Herz zu Herzkommunikation alle Masken, d.h. Ideologien, aber auch Modeerscheinungen, Rollen und was es an paraideologischem Lebensersatz sonst noch geben mag.

3. Kippfiguren im christlichen Denken und bei bekannten Dialektikern

Das Kirchenchristentum ist offensichtlich kein ideologiefreier Raum. Im Gegenteil: Aus dem Kirchenchristentum, das Deschner[45] das größte Übel überhaupt nennt, und den Dalai Lama im Blick darauf und allerdings auf andere Religionen veranlasste zu fragen, ob es nicht besser sei, alle Religionen abzuschaffen, entstand im größten Maßstabe bis heute Krieg, Folter, Frauenunterdrückung bis hin zur Frauenverbrennung und das obwohl Jesus, der Mann von Maria aus Magdala, gesagt hat: „Liebt eure Feinde", und „Liebe Deinen Nächsten wie Dich selbst", oder „Selig sind die Sanftmütigen" usw.

Aber auch im dialektischen Denken z. B. nach Hegel. bzw. Marx, Engels oder Lenin, ist - außer bei Hegel in dessen Wissenschaft der Logik[46] - das ideologische Übel mit allen schrecklichen Gewaltkonsequenzen anzutreffen. Der reale Kommunismus lebt wie der ideelle von den Früchten eines zur Ideologie erstarrten Denkens, dass dem Identitätsprinzip huldigt wie es die Kirchenreligion tut. Von Dialektik kann hier keine Rede mehr sein. Das Denken rotiert in sich selbst und ist zum sich selbst immer wieder reproduzierenden Glaubens-

---

[45] Karlheinz Deschner, Kriminalgeschichte des Christentums, Rowohlt-Verlag 1996
[46] G. W. F. Hegel, Wissenschaft der Logik, Meiner Verlag, Leipzig 1934

kanon erstarrt. Der Satz der Identität aus der aristotelischen Logik A=A erweist sich auch hier als unschlagbar.

Was sagen diese Denker zur Frage nach der Dialektik zwischen dem Einen und dem Anderen?

Hegel war sich der Dialektik zwischen Identität und Diversität voll bewusst und gelangte mit seinem Denken bis an den Rand der Sprache, ja des Bewusstseins überhaupt und gab schließlich die Aussicht auf das Absolute frei. Insofern ist sein dialektisches Denken ein zwar intendiertes - es zielt auf das Absolute, alias auf Gott - aber dadurch auch ein offenes. Man kann Hegels Logik wie ein opulentes Koan lesen. Hegel zog keine rote Trennungslinie zwischen dem Erkennbaren und dem nicht Erkennbaren, dem Ding an sich[47], wie Kant es tat, womit er dieses allerdings auch als etwas durchaus Existierendes anerkannte. Hegel, der Vorlesungen auch über den Buddhismus hielt, ging weiter. Hier finden wir Kippfiguren en masse aber auch den Ansatz einer über das Denken selbst hinausgehenden übergreifenden Kippfigur. Das ist für mich das Großartige der Hegel'schen Philosophie.

Wie sieht es nun bei den anderen der bekannten großen Dialektiker aus? Auch bei Marx und deutlicher noch bei Engels oder Lenin finden wir kein

---

[47] Immanuel Kant, Kritik der reinen Vernunft, Erstveröffentlichung 1781

ideologiefreies Denken. Im Gegenteil: Schon das Doppelgesicht des Marxismus als dialektischer Materialismus und als historischer Materialismus, war von der Fixierung auf die Identität nicht gefeit. Im Gegenteil: dialektisches Denken diente hier widersprüchlicherweise dazu, eine Ideologie herzustellen, die sich im Folgenden, wie bekannt, grauenhaft und blutig auswirkte.

Fragen wir nun bei Adorno nach, der sich in seinen Schriften direkt oder indirekt auf die genannten Dialektiker bezieht. Finden wir bei ihm ideologiefreies Denken?

Adorno opponiert in seiner negativen Dialektik[48] gegen Hegel, den er meines Erachtens nach falsch versteht, wenn er gegen Hegel, von dem der berühmte Satz „Das Ganze ist das Wahre" stammt, den Satz aufstellt „Das Ganze ist das Unwahre". Das ist für sich genommen zwar völlig richtig, wenn man denkend im Wortbereich *bleibt*. Diesen Bereich aber überwand Hegel mit seinem nicht als Begriff definierbaren Wort „das Absolute". Sein Ganzes war ein offenes und damit ein Unendliches. Das Wort „Unendliches" ist in diesem Zusammenhang allerdings auch nicht treffend. Es ist widersprüchlich, weil es noch im Denkbaren bleibt. Die absolute Defizienz des Raumes bezeichnet es nicht.

---

[48] Theodor W. Adorno, Negative Dialektik, Suhrkamp, Frankfurt 1966

Gemeint ist etwas, das außerhalb des Denkens überhaupt liegt, - parallel zum Wort „Ewigkeit", das den Bedeutungshorizont des Wortes „Zeit" überspringt. Ein solches Wort gibt es aber in der deutschen Sprache nicht. Vielleicht könnte man „Ewigkeitsraum" sagen oder „Raumewigkeit" oder sogar den physikalischen Begriff „Raumzeit" in variierter Bedeutung verwenden. Aber das wäre auch nur eine unsichere Krücke.

Wie dem auch sei: Letztlich hilft uns auch Adorno nicht weiter. Zwar sieht er das Andere - und zwar derart, dass er meint, Identität immer und grundsätzlich bezweifeln zu müssen. Das ist normalerweise auch völlig richtig. Auch Krishnamurti hörte ich oft sagen „doubt it". Aber es gibt im Wort auch dessen Klang und im gesprochenen Wort den Sprechklang und den Stimmklang, und der ist wie z. B. ein Schmerzensschrei oder auch ein Aufseufzen im Glück und muss nicht bezweifelt werden. Sobald sich aber die Tore des Paradieses schließen und das Wort und damit der Begriff und damit auch Zeit und Raum entstehen, ist immer der Zweifel angebracht, aber, wie gesagt, im Sinne des *Habens, als hätte man nicht.*

Bei Adorno aber gibt es nur den Zweifel, der auch vor berechtigter Gewissheit nicht halt macht, und hier beginnt die negative Dialektik Adornos in eine Ideologie des Zweifels umzuschlagen. Folgt man dem, gibt es selbst keine für das Andere offene Gewissheit, sondern nur den gleichsam absoluten Zweifel. Der aber führt, wie oben schon gesagt, nur zur Verzweiflung. Für das materpaklitistische Denken ist damit bei Adorno kaum etwas zu gewinnen.

Ich ziehe Hegel vor. Er überlässt zwar sein dialektisches Denken nicht sich selbst, sondern richtet es aus, aber auf das, worin kein Denken mehr ist: auf das Absolute. Mit diesem Wort, das, wie gesagt, auch gegen das Wort „Gott" ausgetauscht werden kann (Hegel war gläubiger Christ und schrieb sogar in seinen frühen Jahren seines Denkens ein Buch über Jesus), öffnet er sein System, das damit kein Ganzes mehr ist und deshalb von der Kritik Adornos unberührt bleibt.

Was nicht intendiertes offenes Denken sein könnte, entwickelt Thomas Collmer in seinem Buch „Hegel und Gödel".[49]

Von den Gedanken des Mathematikers Gödel ausgehend, der im Rahmen seines Unvollständigkeitsbeweises (nichts ist vollständig) selbstreferenzielle Sätze, die zu Widersprüchen führen können, zulässt, versucht Collmer aus der Logik Hegels die Intentionalität, die auf das Absolute zielt, zu nehmen und kommt dabei zu einer offenen Dialektik.

Die komplizierte denktheoretische Fachschrift[50] bietet jedoch wenig Anknüpfungspunkte bezüglich der Frage, wie materpaklitistisches dialektisches Denken genauer

---

[49] s. Fußnote 22
[50] s. Fußnote 22

aussehen könnte. Das ist im hier anstehenden Zusammenhang allerdings auch nicht wichtig. Entscheidend ist nur das Faktum einer offenen, also nicht nach vorgefassten Intensionen ausgerichteten Dialektik: Dass die möglich ist, darin bestärkt uns die Forschung von Thomas Collmer.

Kapitel 8
Der Wandel zum materpaklitistischen Denken

1. Wie ist der Wandel zum materpaklitistischen Denken möglich?

Um diese Frage zu beantworten, soll noch einmal zusammengefasst aber auch ein wenig erweitert werden, was zum materpaklitistischen Denken gehört. Es ist dies im Kern die beschriebene Dreiwurzeligkeit, gleich in welchem Familientypus sie stattfindet. Entscheidend ist dabei das einander liebevoll ergänzende weibliche und das männliche Prinzip. Als dritte Wurzel wurde das Klima bzw. die Natur als gestaltende Kraft genannt.

Neben der Dreiwurzeligkeit zeichnet sich der materpaklitistische Mensch durch seine in männlich-weiblicher Polarität gründende Fähigkeit aus, das Andere alias die Diversität in seinem Denken immer mit zu berücksichtigen und also sein als gewiss geglaubtes Identisches wenn nötig zu relativieren, gegebenenfalls zu verändern, ja sogar zu verabschieden. Damit erstarkt die Fähigkeit, sich für sich selbst und den anderen Menschen zu öffnen, lässt den materpaklitistischen Menschen in der Kommunikation Masken durchbrechen und zu sich alias den eigenen lebentragenden Quellen und zum Herzen des anderen gelangen, zur

Kommunion, wo Lüge und Verstellung keinen Platz haben.

2. Kippfiguren aus dem materpaklitistischen Kern

Hierbei geht es zunächst zentral um das Identifikationskonglomerat namens „ICH". Wie ich in anderen meiner Bücher[51] bereits ausführte, wirkt, was „ICH" genannt wird, auf das, worauf es sich bezieht, wie ein produktiver Filter: Wenn ich ein Waldarbeiter bin, sehe ich den Baum als Nutzholz, wenn ich eine traditionelle Koreanerin bin, sehe ich ihn als Ahnenwohnung, und wenn ich ein Yaqui-Zauberer bin, sehe ich überhaupt keinen Baum, sondern nur Lücken zwischen den Blättern, in denen Geistwesen hausen. Wenn mir beigebogen wurde, ich sei minderwertig, sehe ich mich auch so und werde es auch, selbst wenn das Gegenteil der Fall ist. Wenn ich ein Adler im Hühnerhof bin, frage ich staunend nach den großen wunderbaren Vögeln am Himmel. Wenn ich mir eingebildet habe, meine Nachbarin sei eine Hure, sehe ich sie so usw. Die sensorische Wahrnehmung, also auch das Hören, Riechen, Schmecken usw., und auch das seelische Fühlen und das körperliche Empfinden sind mit der Wahrnehmung verbunden; d.h. sehe, rieche, höre ich den Baum als Nutzholz, habe ich andere Gefühle und

---

[51] s. Fußnote 28

Empfindungen, als wenn ich ihn - jüdischer Tradition folgend - als Lebensbaum sehe.

Das Ich ist also für die Selbst- und Weltwahrnehmung in dem Sinn insofern entscheidend, als es die Objekte des Ichs herstellt.

Der Erwerb der Fähigkeit, das Andere alias die Diversität im Denkvollzug immer mit zu berücksichtigen und also sein als gewiss geglaubtes Identisches, wenn nötig jederzeit relativieren zu können, muss beim Ich beginnen. (In meiner philosophischen Praxis ist das einer der entscheidenden Ansätze.)

Im materpaklitistischem Denken kommt hier die offene Dialektik ins Spiel. Sie führt über Hegel hinaus, der im Begrifflichen blieb, auch wenn es um das Absolute ging, im Begrifflichen allerdings, das dann ähnlich den Jaspers'schen Chiffren im Hinblick auf Transzendenz durchsichtig wurde. Offene Dialektik kann weitergehen und zur existenziellen werden, wie sie vor allem im letzten Kapitel des Buches vorgestellt wird. Ein Schritt in diese Richtung beginnt in der Hinwendung zu Empfindungen (körperlich) und Gefühlen.

Geht man von der beschriebenen materpaklitistischen Dreiwurzeligkeit (Mutter/Vater und Mutter/Natur) aus, dann ist klar, dass man sich mit dem weiblichen Prinzip identifiziert hat, wenn man sich als Frau sieht und mit dem männlichen, wenn man sich als Mann sieht.

Wie stehen Frauen und Männer, materpaklitistisch gesehen, zu anderen und zu anderem?

Frau > Mann [> = im Verhältnis zu]

Das Andere alias die Diversität im Denkvollzug immer
mit zu berücksichtigen würde nun bedeuten, von ihrer
Frausicht als Frau in der Vorstellung zu ihrem inneren
Mann - den eigenen männlichen Anteilen - zu springen
und diese psychisch zu fühlen und körperlich zu empfinden.[52][53]

Mann > Frau

Das Andere alias die Diversität im Denkvollzug immer
mit zu berücksichtigen würde nun bedeuten, von seiner
Mannsicht als Mann in der Vorstellung zu seiner
inneren Frau - den eigenen weiblichen Anteilen - zu
springen und diese psychisch zu fühlen und körperlich
zu empfinden.

Mann > Kind

Das Andere alias die Diversität im Denkvollzug immer
mit zu berücksichtigen würde nun auch bedeuten (und
damit öffnen wir unseren dreiwurzeligen Ansatz), von
seiner eigenen Kindsicht als Mann in der Vorstellung zu
seinem inneren Kind zu springen und dieses psychisch
zu fühlen und körperlich zu empfinden.

---

[52] Martin-Aike Almstedt, Wege zum mystischen Bewusstsein, Verlag
felipen-design Göttingen 2014
[53] Martin-Aike Almstedt, Kiyo, Verlag felipen-design Göttingen 2014

Frau > Kind

Das Andere alias die Diversität im Denkvollzug immer mit zu berücksichtigen würde nun bedeuten, von ihrer Frausicht als Frau in der Vorstellung zu ihrem inneren Kind zu springen und dieses psychisch zu fühlen und körperlich zu empfinden.

Mann > Pflanze

Das Andere alias die Diversität im Denkvollzug immer mit zu berücksichtigen würde nun auch bedeuten, von seiner Naturprodukt-Selbst-Sicht als Mann in der Vorstellung zu seiner inneren weiblichen Pflanze z. B. einer Rose oder einem Gänseblümchen zu springen und diese/s psychisch zu fühlen und körperlich zu empfinden. (Als Vorübung dazu kann es auch ein Baum sein.)

Frau > Pflanze

Das Andere alias die Diversität im Denkvollzug immer mit zu berücksichtigen würde nun bedeuten, von ihrer Natur-produkt-Selbst-Sicht als Frau in der Vorstellung zu ihrer inneren männlichen Pflanze z. B. einem Baum zu springen und diesen psychisch zu fühlen und körperlich zu empfinden. (Als Vorübung dazu kann es auch eine Rose oder ein Gänseblümchen sein.)

Solche Übungen verändern den Menschen. Das alles ist leicht gesagt, aber ohne angeleitete Übung kaum hinzubekommen.

Kommen wir nun von den Übungen in der Vorstellung zu den Übungen in der realen Begegnung:

Frau > Mann real

Das Andere alias die Diversität im Denkvollzug immer mit zu berücksichtigen würde nun bedeuten, von ihrer Frausicht als Frau *in der realen Begegnung* mit einem Mann zu ihrem inneren Mann - den eigenen männlichen Anteilen - zu springen und diese psychisch zu fühlen und körperlich zu empfinden.

Mann > Frau real

Das Andere alias die Diversität im Denkvollzug immer mit zu berücksichtigen würde nun umgekehrt z. B. bedeuten, von seiner Mannsicht als Mann *in der realen Begegnung mit einer Frau* zu seiner inneren Frau - den eigenen weiblichen Anteilen - zu springen und diese psychisch zu fühlen und körperlich zu empfinden.

Mann > Kind real

Das Andere alias die Diversität im Denkvollzug immer mit zu berücksichtigen würde nun auch bedeuten, von der eigenen Kindsicht als Mann *in der realen Begegnung* mit einem Kind zu seinem inneren Kind zu springen und dieses psychisch zu fühlen und körperlich zu empfinden.

Frau > Kind real

Das Andere alias die Diversität im Denkvollzug immer mit zu berücksichtigen würde nun auch bedeuten, von ihrer Frausicht als Frau *in der realen Begegnung* mit einem Kind zu ihrem inneren Kind zu springen und dieses psychisch zu fühlen und körperlich zu empfinden.

Solche Übungen verändern den Menschen. Das alles ist leicht gesagt, aber ohne angeleitete Übung kaum hinzubekommen.

Öffnen wir nun unseren dreiwurzeligen Ansatz um ein weiteres:

Das Andere alias die Diversität im Denkvollzug immer mit zu berücksichtigen würde nun auch bedeuten, von ihrer bzw. seiner Frau- bzw. Mann oder auch Kindsicht als Frau oder Mann *in der vorgestellten bzw. realen Begegnung* mit einem A bis Unendlich zu ihrem bzw. seinem inneren A bis Unendlich zu springen und dieses psychisch zu fühlen und körperlich zu empfinden.

Reale Beispiele zur Praxis im Alltag:

Begegne ich als Mann nun meiner Nachbarin, von der ich gewöhnlich zu denken, wahrnehmen, fühlen und empfinden angehalten wurde, sie sei eine Hure, bin ich ihr nun aus meinem eigenen Frausein näher, mitseiender, verstehensvoller - und überhaupt als Mensch schon gar.

Sehe ich nun als Mann meine Freundin, von der ich gewöhnlich denke, wahrnehme, fühle und empfinde, sie sei eine komplizierte Frau, bin ich ihr aus meinem eigenen Frausein nun näher, mitseiender, verstehens-voller - und überhaupt als Mensch schon gar.

Sehe ich nun als Mann oder Frau ein Gänseblümchen, von dem ich gewöhnlich denke, wahrnehme, fühle und empfinde, es sei nichts Besonderes, bin ich ihm aus meinem eigenen Gänseblümchensein nun näher mitseiender, und mir kommen vielleicht sogar die Tränen.

Sehe ich als Frau oder Mann nun meinen Nachbarn, von dem ich gewöhnlich zu denken, wahrnehmen, fühlen und empfinden angehalten wurde, er sei ein Päderast, bin ich ihm nun aus meinem eigenen Päderast-Sein näher, mitseiender, verstehensvoller und überhaupt als Mensch schon gar.

(Diese Übung ist natürlich besonders schwer, wenn ich noch nie Päderasten-Gefühle gehabt habe.)

Sehe ich als Frau oder Mann nun meinen Nachbarn, von dem ich sicher weiß, dass er ein Nazi ist, bin ich ihm nun aus meinem eigenen Nazi-Sein näher, mitseiender, verstehensvoller und überhaupt als Mensch schon gar, aber keinesfalls akzeptierender und duldsamer. D.h. ich werde mich jetzt ganz von selbst anders verhalten, worin vielleicht eine kleine Chance liegt, dass dieser Mensch sein Nazitum aufgibt.

(Diese Übung ist natürlich besonders schwer, wenn ich noch nie positive Nazi-Gefühle gehabt habe.)

Solche Übungen, in der Vorstellung oder in der Realität durchgeführt, machen es einfach, im täglichen Leben immer wieder das als richtig Geglaubte zu bezweifeln. Viele einsichtige Menschen haben das immer wieder empfohlen. So z. B. Jiddu Krishnamurti, den ich noch heute sagen höre „Doubt it", oder auch Adorno, der den Zweifel zum Prinzip erhob. Und natürlich gehören, wie bereits ausgeführt Hegel, Gödel und Collmer in diese Reihe. Ja, im Zweifel finden die verschiedensten Menschen sogar über die Zeiten zusammen.

3. Merkmale und Menschen

An dieser Stelle haben wir nun die Gelegenheit, scheinbar festgefahrenes Denken in das richtige Licht zu rücken. Es geht um den Unterschied zwischen Merkmalen und Menschen.

Im Zusammenhang mit der Frage nach Ideologien war die Rede von Nazis, Kyffhäusern, AFDlern usw. Auch diese Worte sind inhaltlich weit vom Menschen entfernte Abstrakta und lassen aus sich selbst kaum Kippfiguren zu, weder in das Andere noch in das - noch darzulegende - Andersandere.

Wer einen Menschen unrelativiert so bezeichnet, reduziert ihn auf ein Abstraktum. Und wer sich selbst unrelativiert so bezeichnet, tut das nicht weniger. Hier ist es allein schon moralisch geboten, Kippfiguren zu erzeugen, die vom Abstraktum zum Konkretum, und damit bereits ins Andere führen.

Kein Mensch ist als Nazi, Kyffhäuser, AFDler usw. geboren worden. Was gemeint ist, sind Merkmale, die an Menschen wie Runte oft diabolisch festkleben, Merkmale, die lebenbehindernd, ja lebentötend sein können. Der ganze Mensch ist hingegen, auch wenn er mit solchen Abstrakta identifiziert wird, alias sich selbst damit identifiziert, sie also seinem Ich-Gedanken hinzufügt und solche Abstrakta vielleicht auch noch wie eine Monstranz vor sich herträgt, ein inkommen-surables Wesen, dessen Würde noch immer unantastbar ist, auch wenn niemand diese Würde erkennen kann.

Das gilt sogar für Hitler und in unserer Zeit auch für Höcke, Gauland, oder Meuthen. Hier Kippfiguren ent-stehen zu lassen, ist besonders schwer, aber auch besonders notwendig. Ansonsten prallt Hass auf Hass, und wenn Macht dahinter steht, gibt es Krieg, schlimmstenfalls bis zur Vernichtung der ganzen Menschheit und überhaupt der Natur. Die Waffen dafür sind da.

Selbstverständlich heißt das nicht, dass die lebenbe-drohenden, gar -vernichtenden Eigenschaften dieser Menschen nicht klar benannt werden dürfen, und schon gar nicht bedeutet das, dass die Gesellschaft vor derartigen Menschen, die in solcher Identifikation quasi auf ein undialektisches und daher geistiges Nichts zusammengeschrumpft sind, nicht geschützt werden darf. Jeder Mensch hat ein Recht auf diesen Schutz in einer Demokratie. Das Grundgesetz verbürgt das.

Und natürlich ist es materpaklitistisch, urchristlich und buddhistisch geboten, nicht zu hassen, sondern einem derartig verunstalteten Wesen mit Mitgefühl, das aus dem Andersanderen (dazu später) entsteht, zu begegnen, was an der Notwendigkeit, sich davor effektiv zu schützen, nichts ändert. Allerdings sieht dieses Sich-Schützen in praxi sehr unterschiedlich aus, je nachdem ob Hass oder Mitgefühl im Vordergrund stehen. Im Materpaklitismus geht es um letzteres. Das ist allerdings in vollem Maß nur möglich, wenn Kippfiguren existentiell dialektisch aus den Tiefen der echten Meditation, alias der mystischen Versenkung alias des In-Gott-Seins entstehen. Dann ist natürliches Mitsein mit allem da. Im letzten Kapitel wird das ausgeführt. Aber unmittelbar verständlich ist bereits an dieser Stelle, dass es für das Einsetzen einer Kippfigur einen gewaltigen Unterschied macht, ob ein Mensch 30 Jahre lang Coca Cola trinkend vor dem Fernseher saß oder 30 Jahre lang meditierte.

4. Kontrollsätze

Fahren wir nun nach dieser Klarstellung mit dem Hauptgedanken fort:

Die ganz einfache Kontrollfrage lautet: „Stimmt das eigentlich, was ich denke, ist mein Denken richtig - was nicht mit der Frage übereinstimmt, ob es wahr ist, - z. B. mein Denken über mich, über einen anderen Menschen, über die Aussagen in den Medien, der Politik, der Kunst, des Kitsches, der Wissenschaft, der Medizin, der Philosophie usw.?"

Dieser Kontrollsatz kommt leichter, ja sogar von selbst auf, wenn die beschriebenen materpaklitistischen Grund-Kipp-Übungen regelmäßig geübt werden. Der Gewinn ist bedeutend, denn dieser einfache Kontroll-satz kann das Tor zum Anderen, Diversen aufstoßen und damit Ideologien zu Fall bringen.

Aber auch noch andere Kontrollsätze sind wichtig, so z. B. die Frage, was es ist, dass das Eine bewahren möchte und welcher Nutzen daraus für den Betreffenden gezogen wird. Und auch die noch allgemeinere Frage, warum das Identifikations-Konglomerat „ICH" das Eine unrelativiert zwanghaft herstellt, gehört zu den gut anwendbaren Kontrollsätzen zwecks Kippens zum Anderen.

In meiner philosophischen Praxis ist des Weiteren sehr hilfreich, was ich den Holon-Diskurs nenne. In ihm, der auf großen Scheiben ausgetragen wird, kann sichtbar mit Stäbchen und Figuren gelegt werden, was im Leben schwächt, was stärkt, was oder wer hilfreich sein kann usw. Auf diese Weise entstehen Bewusstseinsdiagramme. Desgleichen hilft die Widerspruchanalyse, in der deutlich wird, inwieweit Empfindungen, Gefühle, Wahrnehmungen und Wortgedanken zusammenpassen bzw. es nicht tun.

Aber der solchermaßen ermöglichte Erkenntnisprozess spielt sich nicht nur in der Dimension richtig/falsch ab, sondern auch in existenziell dialektischen Prozessen, die das Andersandere und damit die Wahrheit bzw. das Wahrsein ins Spiel bringen.

Alles Gedachte und als gewiss Geglaubte kann so insgesamt relativiert werden, was das Identifikationskonglomerat „ICH", im Laufe der Zeit oder aber auch plötzlich von Grund auf in Richtung Gesundung verändert. Der Mensch fühlt sich bestenfalls dann von der Last der Worte befreit. Er weiß, dass - wie es Krishnamurti formulierte - *„das Wort nicht die Sache ist"*, oder anders: Er weiß, dass er nicht weiß, wie es Sokrates ausdrückte. Damit allerdings hat sich dann unversehens schon ein Sprung - ähnlich einer Koan-Übung im Zen - in den wortfeien Bereich des Andersandern ereignet. Das ICH wird nach diesem Sprung zu einem virtuellen ICH, das im täglichen Leben als Instrument zwecks Orientierung seinen Platz findet. Ohne ausführliche Übungspraxis scheint das allerdings nicht möglich zu sein. Wenn dieser Sprung allerdings gelingt, kann niemand und nichts einschließlich der eigenen Person dann noch abgestempelt, benotet, auf eine Nummer am Arm oder auf dem Papier reduziert und so potentiell und gelegentlich auch ganz vernichtet werden.

Zur Kippfigur, die das Andere, die Diversität, aus der das identische Eine im Denken entsteht, kommt ein Mensch mitunter auch ohne alle diese Übungen bzw. Vorübungen ganz von selbst. Das ist z. B. der Fall, wenn der Mensch mit sich im Widerspruch steht, nicht mehr „im Reinen" mit sich selbst ist, psychische Probleme hat, die ihn quälen usw. Spätestens dann ist eine Ich-Revision fällig. Aber oft auch schon viel früher. In den Fugen des kränkelnden Ich knarrt es dann mitunter schon seit Jahren. Verstimmungen, Depressionen schleichen sich immer wieder ins Gefühl und in die körperliche kränkelnde Empfindung. Ersatzhandlungen treten auf. Die Chance von hier aus zum Anderen, Diversen zu kippen, seine geistige Behinderung loszulassen und seine Selbst- und Weltsicht so zu verändern, dass Gesundung eintreten kann, ist dann besonders groß. Diese Chance wird allerdings größer in solchen Situationen aufkommender Ängste. Sie wird oft nicht wahrgenommen, und es bedarf dann einer ideologiefreien, bewusstseinsphilosophischen oder therapeutischen Begleitung.

5. Kunst

Ein anderer unverzichtbarer Schritt zur Kippbereitschaft und damit zum Anderen zu gelangen, ist die produktive bzw. rezeptive Hingabe an die Kunst, und hier meine ich wirkliche Kunst und nicht den üblichen kommerziellen Kitsch. Das Kippen ist hier nun allerdings ganz anderer Art, denn es bleibt nicht auf die Bewusstseinsebene der Symbole beschränkt, sondern findet zwischen der Wortebene und der Wahrnehmungsebene statt. Das ist bedeutend, weil es schon in die Nähe des Andersanderen führt.

In solchen Kippvorgängen ist der ernsthaft rezipierende Mensch nicht nur auf die traditionelle Kunst bezogen. Er hat die Fähigkeit, sich auf das Andere im Wahrnehmungsvorgang Erscheinende vorurteilsfrei z. B. auf Kunstmusik - und hier gerade auch auf solche der Gegenwart - zu beziehen. Meine Freundin Sanna Su sagte, als sie zum ersten Mal klassische Musik des 20. Jahrhunderts hörte, „Solche Gefühle habe ich noch nie in meinem Leben gehabt." Und unser Sohn Noah meinte: „Das ist ja stärker als alle Rock-Musik zusammen."

Erst in der Dialektik zwischen der Wort- und der Wahrnehmungsebene kommt es zu vollendeten Kippvorgängen, in denen sich materpaklitistisches Bewusstsein voll entfalten kann.

In ihrem Buch „Politische Emotionen"[54] denkt auch Martha Nussbaum über Fragen eines nötigen Bewusstseinswandels nach. Gerne kann ich vielen ihrer Vorstellungen - mit Ausnahme allerdings ihrer Ideen über den Patriotismus -, zustimmen. Sie setzt in der Frage nach den Möglichkeiten, Bewusstsein zu verändern, ganz auf die Erziehung, wobei die Wahrnehmungsebene und damit auch die Ebene der Gefühle und Empfindungen eine entscheidende, ja die größte Rolle spielt. Materpaklitistisches Denken sieht das nicht anders. Und auch Antonio Damasio, ein amerikanischer Hirnphysiologe, bestätigt das in seinem Buch „Descartes' Irrtum"[55]. Hier wird der berühmte Satz Descartes' „Ich denke, also bin ich" durch den Satz „Ich fühle, also bin ich" ersetzt. Wenn man das Fühlen als die Voraussetzung für das kognitive Denken versteht, haben beide recht. Aber zurück zur Kunst.

Überraschender- und sympathischerweise sieht Frau Nussbaum Mozart nicht nur als genialen Komponisten, sondern auch als einen wichtigen Philosophen, der als Erzieher sogar über Jean-Jacques Rousseau und dessen

---

[54] s. Fußnote 7
[55] Antonio R. Damasio, Descartes' Irrtum, List/Ullstein 2004

„Emile"[56] weit hinaus geht. Ich kann das nur unterstreichen. Mozart lässt zusammen mit Da Ponte in der Oper „Die Hochzeit des Figaro" durch die Musik ganzheitlich erlebbar, spürbar und nicht nur in Worten denkbar werden, dass die Sicht der Frauen und nicht der Männer zur Konfliktlösung taugt.

Frau Nussbaum führt diesen Gedanken weiter, indem sie auf das Spielerische, Leichte, Lockere, wie in der Kultur der Baul, einer indischen Gemeinschaft, hinweist, die Frau Nussbaum erfreulicherweise wiederum im Sinne des Dichters Tagore beschreibt.

Und in der Tat wäre Erziehung, die nicht Dressat ist, sondern von den Lebensquellen des einzelnen Menschen ausgeht, und Kunst und besonders die Kunstmusik des 20. Jahrhunderts als Hauptgegenstand begreift, ein großer, ein geradezu revolutionärer Gewinn. Der Mensch, der in diese Klangwelten eintaucht, würde sich wiedererkennen und bekäme, ausgehend vom Gefühl, starke Impulse von Seiten seiner Wahrnehmung zum Kippen von ideologischen Vorgefasstheiten ins Diverse.

Das ist nicht nur so dahin gesagt. Als Komponist weiß ich, wovon ich spreche. Ich liebe die große europäische Musik, ein Diamant in der europäischen Kultur. Von Hildegard von Bingen bis hin zu Schönberg und Stockhausen, die österreichische Musik und hier vor

---

[56] Jean-Jacques Rousseau, Emile, 1762, Paris 1824

allem Mozart, und natürlich nicht weniger die wunderbare französische von Berlioz bis hin zu Messiaen, oder auch die Werke des italienischen Komponisten Francesco Malipiero. Das alles ist für mich unverzichtbar, ebenso wie die ungarische Musik, etwa die von Bela Bartok und György Ligeti. Hier überall finde ich wieder, was Frau Nussbaum bei Mozart entdeckt: Einen Edelstein unserer Kultur, der von der Emotion her Kippfiguren ins Andere zu bewirken vermag.

Besonders In der Oper wird oft - und dann ganzheitlich auf beiden Bewusstseinsebenen - erlebbar, was dem Materpaklitismus durch das engstirnig unrelativierte Eine entgegen steht.

Bereits im 19. Jahrhundert hat Richard Wagner in seinen Ring-Opern die Sucht nach dem Geld im Sinne des übergreifenden ideologisch-kapitalistischen Wertebaus, der alles und eben auch das Nazitum bestimmte und bis heute bestimmt, überzeugend bearbeitet. „Am Gelde hängt, nach Golde drängt doch alles, ach wir Armen" mit diesem schlichten Wagner bekannten Satz, den Goethe in seinem Faust dem hellsichtigen Gretchen in den Mund legt, ist der Kern der Aussage in Wagners Ring-Opern benannt und die Aussicht auf ein fatales Ende im Schluss-Stück des Riesenwerks, der Götterdämmerung, perspektiviert. Hier werden deutlich antikapitalistische Kippimpulse gesetzt.

Im 20. Jahrhundert hat das Thema auch Arnold Schönberg in seiner Oper „Moses und Aaron", zu einem starken Ton- und Wort-Erlebnis, bearbeitet. Hier wird der übergreifende biblisch ideologische Wertebau als Tanz ums goldene Kalb, einer bei Schönberg in jeder Hinsicht genial umgesetzten, ergreifenden Szene, verdichtet.

Sein Schüler Alban Berg zeigt in seinen großen Opern „Wozzeck" und „Lulu" ergreifend, wie Liebe zerstört wird.

Und in der Oper „Die Soldaten" von Bernd Alois Zimmerman wird erlebbar gemacht, was die Welt immer wieder in Höllen verwandelt.: In „einer Welt ohne Liebe regiert der Hass", heißt es da unter anderem.

Die Riesenoper „Licht", von Karlheinz Stockhausen, für deren Rezeption man eine ganze Woche ansetzen muss, setzt ähnlich wie die Oper von Zimmerman im Krieg an, zieht dann aber einen Riesenbogen bis in die Erlösung von all dem Elend.

Hans Werner Henze hat in seinen Opern besonders den politischen Aspekt hervorgehoben.

Messiaen wiederum widmet sich in seiner großen oratorienartigen Franziskus-Oper wie Stockhausen bewusstseinstransformativen Aspekten.

Das alles fördert von Seiten des Gefühls und der Empfindung das Entstehen von Kippfiguren in das *Andere* alias das Relativieren eigener ideologischer Festgefahrenheit.

Kunst - und dazu zähle ich natürlich nicht nur die klassische Musik sondern auch die große Malerei und Bildhauerei - in der Gegenwart nicht nur Picasso, sondern z. B. auch Richter und Baselitz, aber auch relativ unbekannte wie meine Nichte, die Keramikerin Jantje Almstedt, oder meinen Freund Henning Loeschcke; und natürlich gehört auch der materpaklitistische Film dazu wie z. B. der Film „Kirschblüten-Hanami" von Doris Dörrie.

Kunst relativiert das kognitive Eine. Wem solches Relativieren nicht möglich ist und meint, auf die Dialektik der Bewusstseinsebenen „Symbol und Wahrnehmung" verzichten zu können und deshalb notwendig im Wort stecken bleibt, kommt nie zu einer von Grund auf lebenstärkenden besseren Kultur materpaklitistischen Denkens, Wahrnehmens, Fühlens und Empfindens.

Entscheidend ist natürlich, dass Kunst zur Wahrnehmungsebene führt und sich auf dieser rezeptiv oder produktiv abspielt. Damit ist dann schon ein Schritt zum Anderen hin getan. Aber dieser Schritt kann sehr oberflächlich ausfallen, oder sogar nur scheinbar stattfinden. Letzteres ist gegeben, wenn das Wort wie im Schlager den Vorrang hat. Dann hat Musik nur untermalende Bedeutung und darf dementsprechend auch nicht hervortreten, darf nicht „stören" und muss im Hintergrund bleiben. Nicht stören bedeutet hier auch, dass der Ausdruck frei ist von allem, was ins Neuland führt und nicht die Reproduktion des Alltäglichen bedient, also nicht einmal die Ufer des Anderen in Aussicht stellt. Das ist der Fluch der kommerziellen Musik, wie sie überall zu hören ist, die die meisten scheinbar erfreut und wenige wie mich arg belästigt. Hier handelt es sich auch nicht um Kunst, sondern um Kitsch, dessen Hauptmerkmal die immergleiche Reproduktion auf dem Felde des Epigonentums ist. Neue Empfindungen und Gefühle, die mit neuen Formen einhergehen, in einer neuen Sprache mit neuem Material und einer neuen Syntax, sind im Kitsch nicht enthalten. Die Erlösung vom immer dem selben Unerlösten fehlt.

In meinen Intermedialwerken „Die Urschöpfung"[57] und „Die Reise zum Mars - oder der Zorn Gottes"[58], meinem Oratorium „Der gefundene Mensch"[59] sowie in meinem zusammen mit Bernhard Wutka geschaffenen Film

---

[57] Martin-Aike Almstedt, „Die Urschöpfung" (DVD), Verlag felipen-design Göttingen

[58] Martin-Aike Almstedt, „Die Reise zum Mars - oder der Zorn Gottes" (DVD), Verlag felipen-design Göttingen

[59] Martin-Aike Almstedt, „Der gefundene Mensch", Partitur Verlag felipen-design Göttingen; Klangausschnitt unter www.klassik-resampled.de

„Herbstvögel über Riuwenthal"[60] gehe auch ich der wichtigen Spur der Erlösung vom Immer-*Einen* nach.

In der „Urschöpfung" geht es um Adam und Eva. Das Stück beginnt aber nicht im Paradies, sondern auf dem Felde vor dem Paradies, und zeigt den mühevollen Weg zurück ins Paradies, zum *Anderen* bzw. *Andersanderen*, und damit zur Liebe, das heißt hier zum Mitsein mit allem, auch mit sich selbst.

In der „Reise zum Mars" geht es um die Kur von dem durch den Astrophysiker Stephen Hawking in die Welt gesetzten Wahnsinnsgedanken, dass die Welt verloren ist und wir uns auf den Weg zum Mars machen müssten. Als eines anderen schwer Belehrte gelingt es einigen, auf die Erde zurück zu gelangen und diese in ganzheitlich ökologischer Weise materpaklitistisch neu aufzubauen.

Im Oratorium „Der gefundene Mensch" geht es anhand der biblischen Geschichte vom verlorenen Sohn letztlich um nichts anderes als um das *Andere* und *Andersandere*, nämlich um das Miteinander in überpersönlicher Liebe.

Auch mein Requiem folgt dieser Spur. „Mensch werde, was Du bist, denn Du weißt, wer Du warst". Diese Beschwörung findet sich, vom Chor gesungen und vom Orchester wie von der großen Orgel bestärkt, gleich am Anfang des Werkes.

---

[60] s. Fußnote 16

Es handelt sich also um Bühnenstücke bzw. Oratorien, die durch Musik und Wort emotional und kognitiv Kippfiguren ins *Andere* bzw. *Andersandere* anregen und damit in unterschiedlicher Weise das materpaklitistische Thema variieren, das ohne diese Kippfiguren - also im Festgefahrensein im *Einen*selben – überpersönliche und auch persönliche Liebe nicht zulässt.

In all diesen und vielen weiteren Beispielen, auf die ich hier nicht weiter eingehen kann, erleben die Rezipienten geistig und emotional Aufrüttelung im *Einen* mit der Perspektive auf das *Andere*, was letztlich die Einsicht in lieblose Wurzellosigkeit aber auch Erlösung davon bedeutet.

Kunst, echte Kunst, nicht die Unterhaltung des geldbringenden, mediengesteuerten, populistischen Kitsches, ist dabei unverzichtbar. Man muss die Dinge erleben, sich emotional in tieferen Gefühlsschichten ergreifen lassen, wenn man sich tiefer mit fundamentalen Menschheitsthemen befasst.

Besonders in den Opern findet sich Philosophie Menschen-, ja Menschheit-retten-wollender, mehr oder weniger materpaklitistischer Art. Die Philosophie hinter den Werken ist in allen Fällen von den Komponisten sehr bewusst erarbeitet worden. (In meinem Falle stehen hinter meinen Bühnenwerken neben musiktheoretischen Schriften fünfzehn eigene bewusstseinsphilosophische Bücher.)

Es gibt eine außereuropäische Kultur, die in all dem sehr weit entwickelt ist. Es ist die Zen-Kunst Japans: Ikebana, das Flötenspiel, die Dichtkunst, das Malen, die kalligraphische Shodo-Kunst, die Gartenkunst, die Keramik, die Raumgestaltung des Feng-Shui usw. Im Zen soll möglichst alles, der gesamte Alltag, zum Kunstwerk werden. Während es in der europäischen Kunst eher um den Ausdruck persönlicher als kollektiver Befindlichkeiten geht und hier der Bogen von der Gregorianik bis hin zur geradezu konvulsivischen Kunst wie bei Reger geht, oder zu Palestrina, Bach, Mozart, aber auch Messiaen gespannt wird, als Vertreter sozusagen transzendenter Kunst in der religio, Rückbindung, den Vorrang hat, eröffnet die Zenkunst dem, der sich darauf einlässt, von vorn herein die Möglichkeit, in einem doppelten Kippvorgang über sich hinaus zu gehen und einen Schimmer des eigenen Ewigen zu empfangen, was über das *Andere* auf das *Andersandere* (s.u.) verweist.

Die Gartenkunst, in der es im Zen um das Sein im Mysterium der Natur geht, hat in der europäischen Musik eine Parallele. Die sehe ich in der Vogelstimmen-Musik Messiaens oder auch in meinen Flächenkompositionen z. B. „Klang der Ewigkeit"[61] für 36 Klarinetten oder tierstimmenhaltigen Werken wie

---

[61] Martin-Aike Almstedt, „Klang der Ewigkeit" (CD), Verlag felipen-design Göttingen

„Frühleben"[62], das dem Andenken an die Urmenschen gewidmet ist.

In all dem geht es um das *Andere* und grenznah auch schon um das *Andersandere* jenseits aller Worte alias Symbole.

Die Zen Kunst versteht sich als Hinführung zur vertiefenden Meditation. Das fehlt auch im europäischen Kontext nicht. Allerdings bewegt sich europäische Kunst zwischen den Polen Selbstausdruck und Transzendenz und erreicht damit ähnlich der Zenkunst den Status der Jaspers'schen Chiffre.

6. Kleinkunst

Von der „großen Kunst" verpönt, soll auch ein Auge auf das, was landläufig „Kleinkunst" genannt wird, geworfen werden. Ich denke in diesem Zusammenhang gerne an die Liedermacher, also z. B. an Konstantin Wecker, Reinhard May, Biermann, Degenhard, Hannes Wader oder auch an meinen Bruder Matthias Almstedt und weltweit an viele andere. In diesen Liedern dominiert zumeist der Text. Bei den Genannten ist dieser in kritischer Weise politisch angelegt, was meinen politischen Auffassungen meistens entgegenkommt und mir von daher sympathisch ist.

---

[62] Martin-Aike Almstedt, „Klang der Tiger" (CD), Verlag felipen-design Göttingen

Neben den politischen Liedermachern gibt es aber auch solche, die in ihren Texten vordringlich die Natur, die Gemeinschaft, die Frauenemanzipation, die Liebe, oder die Spiritualität betonen. Solche Lieder werden im allgemeinen von Frauen verfasst und vorgetragen. Hier denke ich z. B. an Christine Schimang oder auch an Gila Antara.

Die Musik hat in allen diesen Liedern im allgemeinen nur dienende Funktion und verschwindet gelegentlich sogar hinter dem gesungenen Text. Isoliert betrachtet ist die Musik von avancierter klassischer Musik besonders der des 20. Jahrhunderts weit entfernt. Man bedient sich im Wesentlichen traditioneller Versatz-stücke aus dem bekannten Liedgut. Eine neue musikalische Sprache, wie sie z. B. Schönberg ent-wickelte, ist bestenfalls nur ansatzweise festzustellen. Handelt es sich deshalb um schlagermäßigen Kitsch? Nein, denn eine neue musikalische Sprache zu entwickeln, liegt nicht in der Intention dieser Lieder-macher/innen.

Liedermacher/innen - wie die genannten - haben ihren Schwerpunkt im Text, und unterstützen diesen im eigenen Vortrag gesanglich und dabei oft zur Gitarre, oder zu einem anderen Instrument, z. B. dem Klavier. Dennoch hat auch bei Liedermacher/innen die Musik eine große, ja eine entscheidende Bedeutung.

Diese liegt nicht in einer neuen Sprache, sie liegt im Ausdruck beim Singen, der sich über den Stimmklang, den Sprechklang und die Tongestaltung, kurz: über den Ausdrucklaut entfaltet. An diesem entscheidet sich, ähnlich wie in der gesprochenen Umgangssprache die Echtheit alias die Wahrheit des Vorgetragenen von der Lüge, vom So-Tun-als-ob, vom Kitsch. Im Ausdruckslaut spielt sich, anders als im Kunstlied, die musikalische Kunst der Liedermacher/innen ab. Ehrlichkeit oder Lüge, das ist das Hauptkriterium, das natürlich auch für die große Kunst gilt.

Im Kontext der Frage nach dem Sinn der Kunst bezüglich der Möglichkeit, Kippfiguren und damit materpaklitistisches Denken, Wahrnehmen, Fühlen und Empfinden zu bewirken, sind, so gesehen, auch die ehrlichen Lieder der Liedermacher/innen von Bedeutung und hier besonders auch solche wie die der genannten Frauen.

Aber, was soll's! Was fehlt, ist der Kunstrezipient. Das war schon immer ein Problem. Seit Anfang des 20. Jahrhunderts scheint es aber besonders gravierend zu sein. Für die Kunst-Musik ist das Problem am größten, mehr noch als für andere Künste. Diese Musik der Gegenwart hatte es immer schwer, aber wenigstens wurde sie nach ca. 70 Jahren gespielt. Da hatte sie zwar viel von ihrem Stachel verloren, aber immerhin. Heute ist sie beinahe nur noch im Internet zu finden. Aufgeführt wird sie kaum noch. Das passt zur Tatsache, dass selbst der Titel „Neue Musik" von der Popp- und Rockbranche übernommen wurde. Etwas anderes als

Popp und Rock scheint es nicht mehr zu geben. Die Kunstmusik der Gegenwart wurde vom kommerziellen Musikbetrieb fast ganz gefressen, und das gilt in abgeschwächter Weise selbst für die an sich leichter zugängliche Musik der Liedermacher/innen.

Natürlich müsste das nicht so sein. Mit dem nötigen Geldaufwand seitens der Kulturbranche ließen sich durchaus Hörer gewinnen. Man kann heute Menschen zu allem verlocken. Aber wenn nicht einmal Geld für Plakate da ist und Zeitungen für Ankündigungen von neuzeitlicher E-Musik keinen Platz mehr haben, sie Popp- und Rock - Veranstaltungen jedoch groß auf die erste Seite bringen, dann gibt es Musik, die etwas zu sagen hat, nicht mehr im öffentlichen Raum. Aber das ist den Geldvermauerten egal - ähnlich wie das Artensterben und der Plastiktod der Meere.

Was Frau Nussbaum[63] als erzieherische kulturbildende Maßnahme empfiehlt und auch in materpaklitistischer Sicht zur Bewusstseinsbildung unverzichtbar ist, wurde weitgehend kapitalistisch tot getreten.

Aber das ist noch nicht alles. Darauf macht der Philosoph Chul Han[64] aufmerksam. Er schreibt:

Die Welt wird heute mit digitalen Netzen übersponnen, die nichts anderes zulassen als den subjektiven Geist (Anmerkung: den leerlaufenden reproduktiven Geist des

---

[63] s. Fußnote 7
[64] s. Fußnote 36

Einenselben). Es ist dadurch ein vertrauter Sehraum (Anmerkung: und Hörraum) entstanden, aus dem jede Negativität des Fremden und des Anderen eliminiert ist, ein digitaler Echoraum, in dem der subjektive Geist nur noch sich selbst begegnet. Er überzieht die Welt gleichsam mit der eigenen Netzhaut.

Der digitale Bildschirm lässt kein Staunen zu. Mit der steigenden Vertrautheit geht jedes Staunenspotential verloren, das den Geist belebt. Kunst und Philosophie haben die Verpflichtung, den Verrat am Fremden, an dem, was anders ist als der subjektive Geist, rückgängig zu machen, das heißt, das Andere aus dem kategorialen Netz des subjektiven Geistes zu befreien, ihm seine befremdende, staunenswürdige Andersheit zurückzugeben.

Gebe Gott, dass das bald wieder möglich wird. Aber wenn, dann wird das eher aus kleinen Reservaten wie z. B. in Wohnzimmern erwachsen. Denn mit der Kunst wurde auch die Fähigkeit der Rezeption totgetreten. Wer ist heute noch bereit und fähig, ein avanciertes Werk des 20. Jahrhunderts zu hören und zu verstehen? Mit der Kunst verschwand auch der Rezipient als Künstler. Lieber sieht man in hingebender Weise einen der tausendfachen Klischee-Krimis als z. B. die DVD der Franziskus-Oper von Oliver Messiaen, oder die DVD des Herbstvögel-Films von Almstedt/Wutka zu hören und zu sehen. Und gar mit geschlossenen Augen das Klavierkonzert von Ligeti zu rezipieren oder das

Almstedt'sche Violinkonzert „ciel e t." zu hören, erscheint den meisten wohl geradezu absurd, es sei denn im Sinne des „Malreinhörenwollens" oder gar als Vertreibung von Stille, wobei dann allerdings dem Kitsch der Vorzug gegeben wird. Es gibt dazu ein erhellendes Bonmot: „Früher rasierte man sich, wenn man Beethoven hören wollte, heute hört man Beethoven beim Rasieren."

Teil 3   Das Andersandere

Kapitel 9

Das Eine, das Andere und das Andersandere oder die existentielle Dialektik

1.   Einführung

Wir könnten uns an dieser Stelle gut auf Schopenhauer [65] und sein Werk „Die Welt als Wille und Vorstellung" beziehen und kämen dabei dem

---

[65] Arthur Schopenhauer, Die Welt als Wille und Vorstellung, Leipzig 1879

Wichtigsten recht nahe. Auch Karl Jaspers[66] mit seiner Chiffrenphilosophie käme infrage und nicht weniger die Mystiker z. B. Plotin[67], Silesius[68] oder Böhme[69]. Aber warum nicht an der Quelle ansetzen? Sie sprudelt am reinsten.

Was wir versuchen müssen, ist, die angeschnittene Problematik von Grund auf zu verstehen. Das ist nicht einfach und wohl für die meisten nicht ohne Weiteres möglich. Denn hier ist Verständnis nicht nur im Wortbereich zu gewinnen. Wer das ablehnt, im *Einen* bleibt und das *Andere* bzw. das *Andersandere* - und das ist hier zunächst der Bereich der wortlosen Wahrnehmung - für die Erkenntnisgewinnung grundsätzlich als unbrauchbar ignoriert, ist trotzdem gebeten, weiter zu lesen und sich die Möglichkeit, tiefere Einblicke in den fraglichen Wissenskomplex zu gewinnen, offen zu halten.

2. Aus den Lehrreden des Buddha

---

[66] Karl Jaspers, Chiffren der Transzendenz, München 1970
[67] Plotin, Über die drei ursprünglichen Hypostasen, in Enneaden (5,1), Berlin 2015
[68] Angelus Silesius, Der cherubinische Wandersmann, Diogenes-Verlag 2006
[69] Jakob Böhme, Aurora oder Morgenröte im Aufgang, Verlagshaus Römerweg, 2013

Die angeschnittene Problematik ist nicht neu. Bereits vor 2500 Jahren hat sich Buddha dieses Themas angenommen und dabei, die Grundstruktur der Dialektik berührend, Entscheidendes dazu gesagt. Gleich am Anfang der Lehrreden des Buddha aus der mittleren Sammlung *Majjhima Nikaya*[70] liest man unter der Überschrift „Die Wurzel aller Dinge":

Ihr Schüler, ein nicht unterrichteter Weltling, der die Edlen nicht beachtet und in ihrer Lehre nicht bewandert und geschult ist, der aufrechte Menschen nicht beachtet und in ihrer Lehre nicht bewandert und geschult ist, nimmt das Erdelement als Erdelement war. Nachdem er das Erdelement als Erdelement wahrgenommen hat, stellt er sich das Erdelement vor, er macht sich Vorstellungen im Erdelement, er macht sich Vorstellungen vom Erdelement ausgehend, erstellt sich vor „Erdelement ist mein", er ergötzt sich am Erdelement. Warum ist das so? Weil er es nicht vollständig durchschaut hat, sage ich.

Im Weiteren zählt Buddha weitere Elemente auf, geht dann aber auch noch weit darüber hinaus. Die Kernaussage aber bleibt zunächst unverändert bestehen: Es gibt zwischen der Wahrnehmung und der Vorstellung eine dialektische Relation.

---

[70] Die Lehrreden des Buddha, Majjhima Nikaya, Jhana Verlag, Uttenbühl 2001

Gehen wir dem nach. Es geht zunächst um wortfreie Wahrnehmung. Sagen wir, um ein oft benutztes Beispiel zu gebrauchen, ein Mensch steht vor einem Baum. Seine Sinne sind geöffnet, und es findet ein Wahrnehmungsakt statt. Da dabei aber keine Worte im Spiel sind und das Denken, der innere Dialog, schweigt, gibt es niemanden, der den Baum sieht und es gibt daher auch keinen Bewusstseinsgegenstand „Baum". Denn im wortlosen Anblicken von etwas gibt es kein Ich und kein Du, alias kein Subjekt und kein Objekt und damit auch nicht die Grundkategorien des Denkens Raum und Zeit. Der Organismus des Menschen ist in Kommunion mit dem Baum, mit den Bewegungen seiner Äste und der der Blätter, mit seinem Licht- und Farbenspiel, seinem Duft, und das alles geschieht im Jetzt, worin die Zeit aufgehoben ist. Der Mensch sieht, ohne zu sehen, wie man im Zen sagt. [71]

Nachdem Wahrnehmung geschehen ist, heißt es im Buddha-Text, *stellt sich der Mensch das in der Wahrnehmung Erscheinende vor, er macht sich Vorstellungen im Erdelement.*

Was bedeutet das: „macht sich Vorstellungen im Erdelement" (alias *im* Wasserelement, im Luftelement usw. ad infinitum) ?

„Im Erdelement" bedeutet *„im Wahrnehmen begriffen", „wahrnehmend"*. Also: Noch im Wahrnehmen

---

[71] s. Fußnote 28

begriffen, macht sich der Mensch Vorstellungen von dem, was in seiner Wahrnehmung aufsteigt.

In der Menschheitsgeschichte ist das Aufkommen dieser Fähigkeit der wohl gewaltigste Schritt zum Menschsein, dem nun allerdings der weitere nicht weniger gewaltige folgen muss, nämlich mit dieser naturgegebenen Errungenschaft lebenfördernd und nicht lebenvernichtend umzugehen.

Menschheitsgeschichtlich gesehen, entsteht mit dem Aufkommen der Vorstellung alias der Worte der Mensch und lässt sich damit - christlich gewendet - als pure Schöpfung durch Gott als Gottwesen, das weder den Tod noch die Liebe kennt, zurück. Im Ausgezogensein, als nackter Mensch, findet er Worte für männlich/weibliches voneinander Angezogensein und nennt das „Liebe".

Dabei schlossen sich die Tore des Paradieses, lesen wir in der Genesis.

Aber warum eigentlich schlossen die sich? Mit der Vorstellung wird das in der Wahrnehmung Erscheinende benannt. D.h. das in der Wahrnehmung Erscheinende wird damit durch die „Brille" der Worte, d.h. der Begriffe, gesehen, wird auf diesen winzigen Ich-Aspekt verengt und damit interpretiert. Darin besteht das Sich-Schließen der Tore des Paradieses. Mit dem Aufkommen der Worte bricht zugleich Zeit ins Bewusstsein ein: Das in der Wahrnehmung Erscheinende wird auf der Ebene der Worte zum Wahrgenommenen und gehört damit auf dieser Ebene der Vergangenheit an. Der Tod kommt ins Bewusstsein. Das Eine ist damit erstellt und hat sich über das Andersandere, das in der puren Wahrnehmung Erscheinende, erhoben. Hier beginnt der Bereich der existentiellen Dialektik.

Das Andersandere alias das im puren Zustand des Wahrnehmens Sein ist nun in den Bereich des Denkens in Worten bzw. in Wortbedeutungen, in Begriffe eingegangen und berührt das pure Andere nicht mehr. Darin liegt der Unterschied zwischen Zeit und Ewigkeit, wobei letzteres inhaltlich als nicht denkbar durch ein nur hinweisendes Wort sprachlich repräsentiert wird.

An dieser Stelle stellt sich die Frage: Wer oder was ist es, der oder das in Worten denkt, durch welche das in der Wahrnehmung Erscheinende auf der Wortebene zum Vergangenen wird? Die Frage ist hier nicht in Kürze zu beantworten. In anderen Schriften und im Film habe ich allerdings dazu Stellung genommen.[72] Hier ist nur wichtig, dass mit jedem Wort und damit jedem Wortinhalt, dem Begriff, der Ich-Gedanke - und damit verbunden das Ich-Gefühl und die Ich-Empfindung - auftaucht, damit zugleich auch das dem Ich-Gedanken gegenüberstehende Objekt und ebenso auch die dahinterstehenden Grundkoordinaten des Normal- oder Ganzbewusstseins Zeit und damit Raum des sich

---

[72] s. Fußnote 16

mit dem auftauchenden Wort strukturierenden Normalbewusstseins der gegenwärtigen Evolutionsstufe.

Der interpretierend wahrnehmende Mensch könnte sich selbst verstehend somit sagen: „Ich interpretiere das in meinen Wahrnehmungen Erscheinende auf der Ebene meiner worthaften Vorstellungen."

So genau wird er sich normalerweise allerdings nicht ausdrücken. Nehmen wir an - um auf unser Baum-Beispiel zurück zu kommen - : ein aus dem jüdischen Kulturkreis stammender Mensch sieht einen Baum, dann könnte er einfach sagen: Ich sehe einen Lebensbaum und dabei die dazugehörenden Empfindungen und Gefühle haben. Eine Koreanerin hingegen könnte denselben Baum als Ahnenwohnung erkennen und ihrerseits nicht weniger, aber andere Empfindungen und Gefühle haben. Ein Förster hingegen könnte ihn hingegen eher als Nutzholz sehen und natürlich auch die dazu passenden Gefühle und Empfindungen ausbilden, je nachdem ob er den Baum als gesund einschätzt oder nicht, was damit zu verdienen ist usw.

Alle diese Sichtweisen weisen Allgemeinabstrakta auf, die den Anblick des fraglichen Baumes unterschiedlich geprägt haben. Der Baum selbst sagt nicht: „Ich bin Nutzholz oder ich bin ein Lebensbaum." Das ist beim Anblick des Baumes einem Menschen irgendwann einmal gesagt worden, ist in das Identifikationskonglomerat „Ich" eingegangen, womit der Baum als reines unbegrenztes Wahrnehmungsphänomen mit allen Empfindungen und Gefühlen auf das relative Nichts eines abstrakten Begriffs hingesehen wird und darin zusammenschnurrte.

So verkleinert sich der Mensch die Welt, sich selbst eingeschlossen. Letztlich wird alles im Rahmen solcher zeitlichen und räumlichen Minimierungen aktualisiert. Das ist die Situation vor den Toren des Paradieses auf dem kargen Feld.

Aber was genau ist nun der Baum? Die Frage zu beantworten, wird nicht gelingen, besonders wenn der Betrachter in die Abstraktionen geht. Über Ast und Blatt und Grün könnte er dann vielleicht bei Chlorophyll landen. Aber natürlich kann der Baum auch noch ganz anders betrachtet werden. In unserer Zeit ist das - im Gegensatz zur Zeit Buddhas - in großer Opulenz möglich: z. B. botanisch, biologisch, phytoarchä-ologisch, philosophisch, medizinisch, pädagogisch, religiös, ethisch, ästhetisch, ganz zu schweigen von den Zwecken seiner Verwendbarkeit in den verschiedenen Berufen.

Die Erkenntnis, was der Baum sei, verschwände in solchem Auf-den-Begriff-Bringen wie Wasser in der sich schließenden Hand. [73]

Der Buddhatext fährt fort:

---

[73] s. Fußnote 28

„... *er (der Mensch) stellt sich vor: »Erdelement ist mein«.*"

D.h. Der betrachtende und zugleich mit Worten verstehen wollende Mensch identifiziert sich mit seinen Vorstellungen und fügt damit seinem Identifikationskonglomerat namens „ICH" ein weiteres Element hinzu, durch das er in der Wahrnehmung Erscheinendes gestaltet.

Zum Schluss heißt es im Buddha-Zitat: *„Er ergötzt sich am Erdelement."* - also an seinen vermeintlich richtigen, gar wahren Vorstellungen und auch am Bewundertwerden deshalb. „Werch ein Illtum" würde Jandel wohl sagen. Recht hätte er. Denn Bewundertwerden ist nichts. Wirkliches Geliebtwerden ist alles, und das ist kostenfrei und anstrengungslos.

Freude am Bewundertwerden ist dennoch nicht unwichtig, was wiederum mit der Wichtigkeit, einer Gruppe zuzugehören, zusammenhängt. Dabei ist es weniger wichtig, ob dabei ein echtes aus eigenen Quellen fließendes Ich oder eine Maske gemeint ist.

Die Freude daran kommt bereits auf, wenn das Eine der Maske, der Rolle, alias die nicht relativierte Ich-Erkenntnis durch andere Menschen stabilisiert wird. Und diese Ich-Erkenntnis - auch wenn sie schal schmeckt und nicht befriedigt, was dann weiteres Bewundertwerden als nötig erscheinen lässt - wird eisenhart, wenn der Ich-Gedanke in seiner Selbstbewertung durch andere Menschen, die als maßgeblich angesehen werden, gestützt wird.

Und wenn dabei Zeugnisse, Zertifikate, Orden, Geld, Macht, Titel, hohe Positionen und Ehrungen im Spiel sind, wird die falsche Selbstsicht unauflösbar. Eine unabnehmbare Maske ist geboren.

Ist der Ich-Gedanke hingegen echt und aus eigenen Quellen hervorgegangen, fühlt sich der Mensch in einer Bestätigung verstanden, seine Einsamkeit wird kleiner und er fühlt sich wohl. Freundschaft kann so entstehen, was wiederum die Voraussetzung für eine Liebesbeziehung ist. Denn eine Liebesbeziehung ohne tiefe Freundschaft ist immer eine Farce und endet zwangsäufig früher oder später.

Der Mensch ist auf echte Bestätigung durch andere Menschen, durch eine Kultur, eine Gruppe, einen Partner, eine Freundin oder Bestätigung in einer Liebesbeziehung angewiesen, am besten durch all das zusammen. Wenn ein unechter Ich-Gedanke bestätigt wird, entsteht zwangsläufig das Problem der Lüge, des So-Tun-als-ob und damit des fortschreitenden Verlustes eines aus eigenen Quellen generierten Ich-Gedankens. Der Mensch wird Ersatz seiner selbst, fest verhakt im Einen, ein auswechselbares Nichts, für jede Ideologie bzw. jeden Ideologisten ein willkommener Anlass zuzugreifen. Diese Dynamik prägt sich umso stärker aus, je geringer die eigene Wertschätzung, die letztlich nur aus den eigenen Lebensquellen fließt, ist.

Ein Mensch, der sich mit unechten Ich-Gedanken weitgehend identifiziert hat, ist darauf angewiesen, seinen falschen Ich-Gedanken durch endlose Suche nach Bestätigung, womit im tiefsten Grunde materpaklitistische Liebe gemeint ist, zu schützen. Kann dieser Selbstschutz nicht erfüllt werden, tritt Angst, ja geradezu Todesangst auf. Diese Suche ist, solange diese Liebe fehlt, eine perennierende molochartig fressende Suche ohne Ende. Wenn echte Wertschätzung gar nicht erreichbar ist, wird ein/e potentielle/r Selbst- oder Fremd-Mörder/in geboren.

Wenn die Wurzel aller Dinge, wie Buddha sich ausdrückte, eine im *Einen* festhakende dialektisch unerlöste Vorstellung ist, wird diese dann früher oder später im Rotieren um sich selbst Ich- und Du-vernichtend grau und im schlimmeren Fall nazibraun, oder auch knallrot, IS- oder kirchenschwarz.

Hier sind wir am tiefsten Grund für Ideologien und diesen ähnlichen Verirrungen angelangt: Das falsche *Eine* wird nicht relativiert bzw. gekippt und kann es aus den aufgezeigten Gründen auch schwerlich werden. Man kommt nicht zu sich selbst und auch nicht zum anderen Menschen. Masken aus Minderwertigkeit gezüchtet verhindern das. An die Stelle der Liebe ist der Lebensersatz vor allem als Plagiat-Ich der Bestätigungs-wahn in punkto Titel, Orden, Geld, Macht, Konsum usw. und damit Kapitalismusaffirmation getreten. Und gar nicht kann in solchem Bewusstseinszustand das Andersandere erreicht werden und wirken.

3. Ein Kamingespräch

zwischen der Ki-Yoga-Schülerin Adriana und Martin-Aike

Martin-Aike: Du bist nach Jahren wieder an der Arbeit unserer Kaminrunde interessiert und hast Dich auch mit dem Buddha-Text „Die Wurzel aller Dinge", von dem unsere Gespräche ausgehen, befasst. Und nun möchtest Du mit mir darüber sprechen. Ich denke wir steigen dort ein, wo wir in der Kaminrunde zuletzt aufgehört haben. Ist das für Dich in Ordnung?

Adriana: Ja, Du hast mir geschrieben, wo ihr stehen geblieben seid. Ich habe den Text gelesen und auch die erste Ausgabe Deines Buches „Das Eine, das Andere und das Andersandere". Und nun würde ich mich gerne wieder einklinken.

Martin-Aike: Gut, dann gehen wir gleich in medias res und fahren im Buddha-Text fort?

Adriana: Einverstanden.

Martin-Aike: Bei Buddha heißt es dort:

Ein Schüler in höherer Schulung erkennt das Erdelement unmittelbar als Erdelement. Nachdem er das Erdelement unmittelbar als Erdelement erkannt hat, sollte er sich nicht Erdelement vorstellen, er sollte sich nicht Vorstellungen im Erdelement machen, er sollte sich nicht vorstellen, Erdelement ist mein, er sollte sich nicht am Erdelement ergötzen. Warum ist das so? Damit er es vollständig durchschauen möge, sage ich.

Adriana: Ich habe das gelesen, aber ich muss gestehen, wirklich verständlich ist mir das nicht. Was besagt dieser Text?

Martin-Aike: Hier wird die Grund-Meditationsübung aller Meditationsübungen beschrieben. Sie besteht darin, sich unmittelbar, also ohne Wortgedanken alias ohne eine Vorstellung, auf das in der Wahrnehmung Erscheinende zu beziehen. Die Vorstellung unterbleibt damit und mit ihr das Sich-damit-Identifizieren und das Sich-an-solcher-Identifikation-Erfreuen. In dieser Übung, sagt Buddha, besteht die Möglichkeit, das in der Wahrnehmung Aufscheinende vollständig zu durchschauen. Dieses Durchschauen ist aber nicht nur ein Werten nach Richtig oder Falsch, wie bei der in meinem Buch beschriebenen Kippfigur, die, im Wort bleibend, nur zum Anderen gelangt. Aus der Meditation alias aus dem wortlosen Sein im Ursprung verwandelt sich der Mensch. Er gewinnt ein aus seiner Natur kommendes Mitgefühl für sich selbst, für andere und anderes. Das ist zugleich die tiefste Wurzel, die im materpaklitistischen Denken, Wahrnehmen, Fühlen und Empfinden verwirklicht wird. Hier erst wird aus Richtig oder Falsch Wahr oder Unwahr." [74]

---

[74] s. Fußnote 28

Adriana: Mir stellt sich die Frage: Kann dieses Durchschauen allein aufgrund von Meditationsübungen
geleistet werden? Ich glaube kaum. Ich habe das Gefühl, dass die Dinge viel komplizierter sind, oder?

Martin-Aike: Diese Übung, die letztlich zu einem voll-
ständigen Durchschauen führen soll, ist tatsächlich
schwer zu meistern. Es gehört ein ganzes Leben ki-
yogischer Kultur oder in einem gültigen Äquivalent
dazu. Und in der Tat wird diese Übung meiner Erfahrung nach von vielen Menschen, die sich an ihr versuchten, verfehlt und bleibt infolgedessen unwirk-
sam. Wenn sie aber greift, verändert sie damit durch
das aufsteigende natürliche Mitgefühl und körperliche Mitempfinden auch die Wahrnehmung und das
Denken in Worten alias Symbolen. Es wird zu einem
lebenbewahrenden Denken. Nutzholz etwa wird
dann zum Lebensbaum, ein Nazi zu einem etiketten-
losen Nur-Menschen. Das ist im Kern bereits das,
was es zu durchschauen gilt.

Adriana: Du sagst, dass diese Meditationsübung schwer
zu meistern ist. Aber könnte es nicht sein, dass ein
Mensch auch heute noch gelegentlich ganz von
selbst in diese Übung hineingerät. Dann sagt man
z.B.: „Er schaute völlig gedankenverloren Löcher in
die Luft." oder: „Wortlos war sie glücklich" usw.

Martin-Aike: Da bist Du gleich am Kern der Übungs-
problematik angekommen. Für unser Übungsver-
ständnis weist das bereits auf die Grundvorausset-

zung richtigen Übens hin. Dieses gedankenverlorene Löcher-in-die-Luft-Gucken verstehe ich als eine unwillkürliche Meditationsübung, die sich gelegentlich von selbst einstellen kann, ohne dass sich der so Meditierende dessen bewusst ist.

Adriana: Irgendwo habe ich bei dir gelesen, dass der Meditierende beim Meditieren selbst noch gar nichts durchschaut. In der Übung selbst gibt es ihn ja nicht einmal. Erst später gibt es ihn wieder, nach der Übung. Oder?

Martin-Aike: Das stimmt. Und wenn solche Gedanken- und damit auch Ich-Verlorenheit andauert und der Mensch jenseits aller Worte tiefer und tiefer in sich selbst einsinkt, entfaltet sich für jeden Menschen, dem das geschieht, innere Befreiung von allen unfrei machenden sorgenvollen Gedanken. Das ist lebentragendes Glück. Es gibt kein tieferes. Und das geschieht umso mehr, je länger die Gedankenverlorenheit andauert. Allerdings geschieht derart langes Andauern dem Ungeübten so gut wie nie.

Adriana: Aber ist das nicht doch einfach Verdrängung?

Martin-Aike: Nein, ist es nicht. Verdrängung ist gegeben, wenn eine Vorstellung und ihre Wirkung auf Gefühle und Empfindungen gegen eine andere ausgetauscht wird. Man hat Probleme und geht ins Kino oder isst eine Portion Gyros. Das Auf-den-Nullpunkt-Fahren der Wortebene in der Meditationsübung und der damit verbundenen Empfindungen und Gefühle in uns ist etwas ganz anderes.

Adriana: Der Nachteil bei spontanen Meditationsprozessen scheint zu sein, dass sie zu kurz ausfallen.

Martin-Aike: Man hat im Laufe von Jahrtausenden einiges an Übungen entwickelt, um die Dauer der Spontanmeditation zu verlängern, dann aber auch, um willentlich in eine Meditationsübung zu gelangen, und zwar gerade ohne die Voraussetzung einer spontanen natürlichen inneren Bereitschaft.

Adriana: Aber diese Übungen sind anscheinend schwer zu meistern. Das ist ja gerade das Problem. Es heißt, dass Buddha selbst ein großer Übender war. Er brachte es immerhin bis zur Yogameisterschaft und war ja außerdem ein extremer Asket. Vielleicht sogar der größte aller Zeiten, nachdem er davor extrem in Saus und Braus gelebt hat. Aber das war eben Buddha, ein übernatürlicher Mensch.

Martin-Aike: Der Überlieferung nach überkam Buddha die unumkehrbare Bewusstseinstransformation erst, als er sich, dem Tode nahe, unter einem Baum sitzend aufgab und vor allem den Wunsch losließ, hinter das Geheimnis der Leidminderung zu kommen. Erst da öffnete sich die erleuchtende Antwort für ihn. Auch für Buddha war der Weg zur Bewusstseinstransformation sehr steinig. Aber im Gegensatz zu den meisten Menschen war er in der Lage, diesen Prozess zu durchstehen.

Adriana: Später war er allerdings der Meinung, man könne auf Übungen, die nicht Meditations- bzw. Aufmerksamkeitsübungen sind, verzichten.

Martin-Aike: Auch Krishnamurti vertrat diese Meinung. Beide allerdings vergaßen dabei den eigenen langjährigen schweren Übungsweg, der sie zur Bewusstseinstransformation geführt hatte. Zu Buddhas Zeiten war es sein Schüler Devadatta, der Buddha in diesem Punkt nicht folgte. Er forderte traditionelle Yoga-und Meditationsübungen in vollem Maße von seinen Schülern. Der Devadatta-Buddhismus hielt sich übrigens noch einige hundert Jahre, bis er im 7. Jahrhundert versiegte.

Adriana: Demnach scheinen für die Transformation des Bewusstseins Übungen unumgänglich zu sein - auch wenn sie schwer zu meistern sind. Wieso kam es dann überhaupt zu dieser Geringschätzung der Meditationsübungen oder sogar zum Übungsverbot?

Martin-Aike: Es ist nicht unverständlich, wieso es dazu kam. Ich meine, die Antwort lag und liegt in der Gefahr, an den Übungen zu haften, daran kleben zu bleiben und dabei sogar die Gnadenzeit völliger Gedankenverlorenheit zu verpassen, in der sich ganz von selbst die Bereitschaft zur Übung ergibt. Ohne diese spontan einsetzende Bereitschaft geht es nicht. Die Übung läuft leer. Von einer echten Meditationsübung kann dann keine Rede mehr sein. Dennoch bilden sich offensichtlich viele Übende ein, dass sie meditieren. Das aber ist nicht der Fall, dafür eine Falle. Krishnamurti nannte solches Üben „Siesta machen".

Adriana: Ohne Übungen geht es also nicht und mit Übungen anscheinend auch nicht. Ein Nadelöhr, das nicht passierbar ist. Was aber dann?

Martin-Aike: Auch hier hilft der schon oft zitierte Satz: „Haben als hätte man nicht", d. h.: Die Übungen sollten regelmäßig gemacht werden, egal ob man Wirkungen spürt oder nicht. Aber sie sind dann im Modus des Loslassens durchzuführen, also im wachsamen Beobachten dessen, was während der Meditation geschieht. Das Anklammern an das, was an Bewusstseinsgegenständen hochkommt, soll durch Aufmerksamkeit vermieden werden.
Für Krishnamurti war dieses achtsame Beobachten ohne vorgegebene Richtung das Wichtigste. Wer übt, ohne das zu beachten, ist relativ chancenlos, die sich auf natürliche Weise ereignende Öffnung für die Meditationsübung zu bemerken und zuzulassen.

Adriana: Du hast früher oft gesagt, dass Meditationsbungen in jedem Fall immer nutzbringend sind. Der Organismus sammelt Energie, ohne die es nicht zur Bewusstseinsversenkung kommen kann.

Martin-Aike: Ja das stimmt. Wer seine Lebensenergie der Zerstreuung widmet, hat sie für die Sammlung auf die „erste Welt", in der wir ohne jedes Denken in Worten waren, als wir geboren wurden, nicht zur Verfügung. Ein wort- und damit energiefragmentierter Mensch kann kaum üben. Dazu fehlt die Kraft. Die kann er allerdings durch die körperlichen Yogaübungen zurückgewinnen. Wenn man sie beim Üben strikt aus dem Körper kommen lässt, was jede Überdosierung ausschließt, stärkt das den Körper, öffnet Energieblockade in den Meridianen, entspannt, und hilft bei der natürlichen Ausleitung, der Stoffwechselrestprodukte über das Lymphsystem, die Nieren usw. Das ist hilfreich, denn ein verspannter verschlackter Körper steht der natürlichen Bereitschaft zur Meditationsübung sehr im Weg.

Übungen, wie sie z. B. im KiYo vorkommen, sind offensichtlich hilfreich. Vor allem, wenn sie regelmäßig durchgeführt werden, sind sie die beste Voraussetzung dafür, dass sich die gesamtorganismische Bereitschaft für eine Meditationsübung von selbst einstellt.

Adriana: Die oder der Übende verpasst diese Bereitschaft, sagst Du, wenn nicht in loslassender Weise während der Übung darauf gewartet wird. Das scheint mir sehr wichtig zu sein. Aber nun möchte ich auch fragen: Lenkt dieses Warten, diese Erwartungshaltung, wenn sie etwas zu stark ist, nicht ebenfalls von der natürlichen Übungsbereitschaft ab?

Martin-Aike: Ja, hier auszubalancieren ist in der Tat nicht einfach. Das biblische Nadelöhr kann aber mit Geduld gefunden werden. Das zeigt die Erfahrung.

Adriana: Das verstehe ich. Aber wenn sich nun die selbsttätige Meditationsübung, die zur Bewusstseinstransformation führt, endlich einstellt, ist dann der Durchblick, von dem Buddha spricht, schon da?

Martin-Aike: Wenn die Meditationsübung stattfindet, verteilt sich die freiwerdende Energie, die sonst zur Aufrechterhaltung des Normalbewusstseins normalerweise eingesetzt wird - das sind ca. 30 bis 40 Prozent der Stoffwechselenergie (in Problemsituationen aufsteigend mehr)[75] - auf die gesamte Energiesituation des Organismus verteilt, zuvorderst auf die sonst unterversorgten Bereiche. Der körperliche Hata-Yoga verändert, wie schon gesagt, die Energiesituation auch, allerdings anders.

Das alles trägt dazu bei, dass die Meditationsübung in die Tiefe des menschlichen Seins außerhalb seines Wortbewusstseins führen kann. Das wiederum hat zur Folge, dass ein meditatives, gesamtorganismisches Neugestimmtsein möglich wird. Vermutlich kann das jeder Mensch erfahren.

---

[75] Lutz Schwäbisch/Martin R. Siems, Selbstentfaltung durch Meditation, Schirner Verlag 2006

Adriana: Hat das noch andere erlebbare Auswirkungen?

Martin-Aike: Ja, während der meditativen Versenkung geschieht es, dass der Mensch unbewusst die Angst vor dem Tod verliert, und das Mitsein, die überpersönliche Liebe gewinnt, die auch die sonst bekannte menschliche Liebe auf ein höheres Niveau hebt. Im Aufstieg aus der Meditation wird das bewusst.

Adriana: Wie ist das möglich?

Martin-Aike: In der Tiefe des meditativen Versenktseins, in der der Organismus keinen Ich-Gedanken und auch keinen Du-Gedanken ausbildet, also die Subjekt-/Objekt-Relation ganz zur Ruhe gekommen ist und auch kein Zeit- und Raumbewusstsein besteht, geht der Organismus sozusagen über sich hinaus. Er gelangt dabei in die Sphären seines Ursprungs. In diesem auratischen Zustand schwimmt der Organismus gleichsam im Mitsein mit allem. Das drückt sich im ganzen Bewusstsein später als existentielles Geborgensein aus und als grenzenlose überpersönliche Liebe.

Adriana: Kannst Du Genaueres über die Übungen sagen, die geeignet sind, Übende in solche Seinstiefen gelangen zu lassen?

Martin-Aike: Einen guten Teil kennst Du aus der KiYo-Gruppe. Vor allem aber in meinem Buch „Wahrheit und Aufbruch" und dort im Kapitel „Wege ins mystische Bewusstsein" wird davon vieles vorgestellt. Ebenso in meinem Bildband „Zwischen Himmel und Erde", den ich mit Ralf Klement entwickelte.[76] Aber in kurzer Zusammenfassung dazu nochmals Folgendes:

Es gibt KiYo-Wahrnehmungs-Übungen für das normale Tagesbewusstsein, z. B. für die Zeit während des Einkaufs in der Stadt oder beim Autofahren usw., und es gibt die Stille-Übungen im Raum oder in der Natur. Wenn dann noch die geeignete Rohkost- oder vegane, zumindest aber vegetarische Ernährung dazu kommt, (- was jeweils passt, entscheidet jede und jeder für sich -) so steht, sofern das alles über Jahre praktiziert wird, der Selbsteinschaltung einer Meditationsübung kaum etwas im Wege, es sei denn, traumatische Erfahrungen torpedieren den Versenkungsprozess, was nicht selten ist. Dann böte sich eine gute Psychotherapie an, die das Realitätsprinzip unberücksichtigt lässt und von den Resilienzen des betreffenden Menschen ausgeht. Auch der Holon-Diskurs in meiner philosophischen Praxis kann hier weiterhelfen.

Adriana: Dann ist es also zweifelsfrei möglich, die Chance deutlich zu vergrößern, dass sich die natürliche Meditationsbereitschaft von selbst einstellt. Kann man diese Fähigkeit noch weiter festigen?

---

[76] Bildband in Vorbereitung beim Verlag felipen-design Göttingen

Martin-Aike: Du weißt, dass ich in meinem Leben viele Konzerte als Pianist und auch als Organist gegeben habe. Ohne mich dabei besonders kontrollieren zu müssen, habe ich auch schwierigere Passagen stets fehlerfrei spielen können. Diese Fähigkeit entstand und wuchs mit der täglichen stundenlangen Übung. Die Hände wurden einfach geführt. Mit der Meditationsfähigkeit ist es nicht anders. Allerdings hilft im Falle der Meditationsfähigkeit und überhaupt des ganzen KiYo[77] auch eine gute Yogagruppe und darüber hinaus ein yogisch verwandeltes Leben, ein Leben in individuell gewachsener KiYo-Kultur. Letztlich einer Kultur, die aus den eigenen Quellen entsteht. „Jeder sei sein eigenes Licht", sagte Jiddu Krishnamurti. Das war ich seit meinem 6. Lebensjahr, nachdem ich die Auschwitz-Befreiungsfilme und den fast noch furchtbareren Babyn-Jar-Film zwangsweise gesehen hatte.

Adriana: Krishnamurti warnte vor Gruppen, was sagst Du dazu?

Martin-Aike: Recht hat er und auch nicht. Wir müssen das etwas genauer betrachten. Dabei kommen wir auf ein wichtiges Thema. Der Mensch ist ein soziales Wesen. Das wissen alle, und auch wir haben das oft betont. Ohne Beziehung, ohne Freunde, ohne Gruppe, ohne Kulturzugehörigkeit kann ein Mensch kaum

---

[77] Martin-Aike: Almstedt, KIYO, Verlag felipen-design Göttingen 2014

leben. Deshalb ist auch Isolationshaft eine Folter. Andererseits ist der Mensch auch ein Individuum, das aus ureigenen Quellen - Human-Psycho-loginnen und -Psychologen würden sagen: Resilienzen - leben sollte. Wenn das Individuum untergeht, der Mensch sich nur noch mit dem Partner, mit dem Gruppen-, dem National- oder dem Volks-Geist identifiziert, ist er nicht mehr sein eigenes Licht. Dieses ist dann verloschen. Der Mensch ist dann ein unverantwortliches, gefährliches und auf jede Untat programmierbares Herdengeschöpf. Die schwere Kunst der Balance zwischen individuellem und Gruppenbewusstsein in der Beziehung mit anderen Menschen muss geübt werden. Das Mitsein mit mir selbst und mit anderen hilft dabei.

Adriana: Hast Du nicht immer für die KiYo-Gruppe geworben?

Martin-Aike: Die Gruppe war immer offen, und alle konnten und können mitbringen, wen sie wollen. In der Gruppe können sich alle individuell entfalten. Im KiYo lässt jede Yogini, jeder Yogi die Übung, die alle machen, sehr bewusst aus dem eigenen Körper kommen. Der Leiter der Gruppe gibt nur den äußeren Übungsrahmen vor. Deshalb sieht ein und dieselbe Übung in der Gruppe auch sehr unterschiedlich aus, bei Frauen und Männern ohnehin und bei jüngeren und älteren ebenso, aber eben auch deshalb, weil sich in den allgemeinen Übungen Individualität ausdrücken soll und es dann auch tut.

Adriana: Manche beteuern, dass sie in der Gruppe leichter in die Übungen kommen als alleine. Was meinst Du?

Martin-Aike: Ja, die Gruppenenergie hilft dabei. Und es geht sogar noch weit darüber hinaus. Ich denke an die Zenkunst. Darüber haben wir oft gesprochen. Im Zen ist alles Kunst: Die Wohnung, der Garten, die Einrichtung etc. sollen auf den Menschen im Sinne der Vorbereitung für die Meditation wirken, damit diese sich leichter einstellt. Die Dinge im Zen, aber auch die Entsprechungen in unserer Kultur oder die Bildnisse im russisch-orthodoxen Christentum, etwa die Engelikonen, sind ein materialisiertes Pendant innerer meditativer Befindlichkeit. Sie wirken hilfreich auf den Betrachter.

Adriana: Kann man sich dabei nicht auch verfangen, nämlich abhängig werden und seine Individualität verlieren?

Martin-Aike: Deshalb schicken gute spirituelle Meister wie Krishnamurti ihre Schüler gerne in die Wüste.
Sie werfen ihre Schüler auf sich selbst zurück. Die Schüler sollen ihr eigenes Licht sein, ohne Bildnisse, wie es auch die Bibel fordert.

Adriana: Manche wie Gurdijeff verfuhren dabei leider auch brutal, und es gab noch andere, die geradezu menschenverachtend waren. Für mich sind diese Leute alles andere als spirituelle Meister.

Martin-Aike: Für mich auch nicht. Auch Gurdijeff nicht, soweit ich über ihn informiert bin. Sie behaupteten das „Ego" klein kriegen zu wollen, ein gefährlicher und verwerflicher Blödsinn. Von der Ich-Philosophie, der Tatsache der normalbewussten naturgegebenen Subjekt-/Objekt-Relation verstanden diese Leute offensichtlich nichts. Ihr Denken und Handeln war faschistoid und krank machend.

Adriana: Ich würde gerne auf die Frage nach der Zen-Kunst zurückkommen. Es geht da ja wohl nicht nur um die Gestaltung von Dingen, sondern mit diesen auch um Selbstgestaltung. Oder?

Martin-Aike: Das Leben als Kunstwerk. Auch Joseph Beuys sagte: „Jeder ist ein Künstler, ein Gestalter des eigenen Lebens, ein Kreativer in diesem Sinn, nicht zwangsläufig ein Maler, ein Komponist usw.". Die Frage ist nur, aus welchen Quellen dieses Gestalten kommt. Nun gut, Beuys war Christ, natürlich kein Kirchenchrist. In jedem Fall war sein Vorbild Jesus, wie übrigens auch erstaunlicherweise für Klaus Kinski.

Adriana: Das bringt mich auf die Frage nach der Kultur, in der ein Mensch lebt. Du hast über den geeigneten Augenblick für die Meditationsübung gesprochen und Du hast angedeutet, was in der Zen-Kultur an

Äußerem dazu hilfreich ist: die künstliche Dingwelt als Ausdruck eines geheilten Bewusstseins. Aber gibt es nicht noch weitere Hilfestellungen? Ich denke z. B. an buddhistische oder auch kiyogische Lebensregeln.

Martin-Aike: Das stimmt und stimmt auch nicht. Und zwar dann nicht, wenn ein Mensch sein Leben in ein Korsett aus Lebensregeln einpfercht. Lebensregeln sollten nur Orientierungmarken, Wegweiser sein. Wenn sie aus dem wortlosen Urgrund des Menschseins erwachsen, begegnet ihnen der meditierende Mensch immer wieder Situation für Situation von selbst.

Adriana: Ist dir eigentlich klar, dass das, worüber wir hier sprechen, für viele, die meisten Menschen wahrscheinlich, Blödsinn ist."

Martin-Aike: Wie bitte?

Adriana: Glaubst Du, dass Menschen verstehen, was Du sagst, oder auch dass Du in Fachkreisen ernst genommen wirst; z. B. in philosophischen, oder psychologischen oder meinetwegen auch pädagogischen?

Martin-Aike: Kommen wir mal gleich von der Abstraktion weg. Kreise können gar nichts ernst oder nicht ernst nehmen, nur einzelne Menschen können und tun das. Was diese einzelnen dann jeweils denken, hängt ganz vom Grad ihrer Wissenschafts-Ideologie ab und damit verbunden, von ihrer Fähigkeit zu offenem dialektischen Denken, oder schlicht der Fähigkeit, dem *Anderen* und *Andersanderen* Raum zu geben.

Adriana: Hast Du schon einmal aus dem Bereich der Wissenschaften Zustimmung erhalten?

Martin-Aike: Es gibt ein Buch von mir mit dem Titel „Es gibt keine Abkürzung"[78]. Darin sind acht Dialoge enthalten, die ich mit verschiedenen Professoren unterschiedlicher Fachrichtungen führte. Ich hatte nicht den Eindruck, dass auch nur einer von ihnen meinte, dass ich Blödsinn erzähle. Ich könnte noch sehr viel mehr Beispiele dieser Art bringen. Aber lassen wir das.

Adriana: Ist für Dich damit zu diesem Thema schon alles gesagt? Ich denke, dass hinter meiner Frage noch viel mehr steckt. Jedenfalls ist die Frage für mich noch nicht ausreichend beantwortet.

Martin-Aike: Deine Frage gibt mir die Möglichkeit, noch tiefer darauf einzugehen. Das, was ich in meinen Büchern geschrieben habe, ist in der Tat unverständlich (und zwar im Wesentlichen ganz und gar), solange die Leser meine Warnung nicht ernst nehmen: „Es gibt keine Abkürzung". Man kann das Wesentliche nicht verstehen, wenn man sich nicht, wie auch immer, vom Normalbewusstsein verabschiedet und ins Grundbewusstsein hinüberwechselt, d.h. ins Baby-

---

[78] s. Fußnote 25

bewusstsein, ja in die Zeit im Mutterleib und noch davor. Da gibt es keine Worte, kein Subjekt, kein Objekt und auch nicht Raum und Zeit. Das ist der Zustand meditativen Versenktseins, der mystischen Versenkung, wie man im echten, also im mystischen Christentum zu sagen pflegte. Dort geschieht die Verwandlung zu einem ideologiefreien, mitseienden und lebenbewahrenden Menschen.

Adriana: Woher weißt Du das? An dieser Stelle muss man Dir doch einfach glauben.

Martin-Aike: Nein, gar nicht. Ich sage nur: Du selbst kannst durch Meditationsübungen solche Erfahrungen machen. Man muss es nur tun. Doch damit es dir leichter fällt, sich diesem Bereich anzunähern, Folgendes: Der Zustand der Versenkung ist dem Zustand des Tiefschlafes verwandt. Dort gibt es uns nicht. Da stellt uns das Gehirn nicht her. Wir sind quasi tot. Nachvollziehen kann man während der Übung nichts, und nach der Übung nur so viel, dass man körperlich, geistig und seelisch verwandelt ist. Die Zeit der Meditation (als Seinszustand - nicht als Übung) kann nicht realisiert werden: ebensowenig wie die Zeit des Tiefschlafs. Auch dort gibt es uns nicht; nur die meditative Verwandlung hin zu einem mitseienden Menschen.

Adriana: In meinen Meditationsversuchen komme ich nie dahin. Jedenfalls entstehen in meinem Fall immer Gedanken, die nicht aufhören wollen.

Martin-Aike: Sind das Worte oder Bilder, vielleicht auch Klänge, oder alles zusammen, ganze Szenen?

Adriana: Alles, mal so, mal so.

Martin-Aike: Das Problem liegt nicht im Aufkommen von Bildern und Klängen, sondern von Worten und anderen Symbolen, weil damit Bewusstseinsfragmentation im Sinne von Identitäts-/Diversitäts-Relationen in Raum und Zeit entstehen. Es sind Symbolgedanken, Worte zumeist, mit denen sich der oder die Übende identifiziert und diese Identifikationen dann dem Riesengedanken „Ich" hinzufügt. Das ist zwar meistens so, aber es muss das nicht zwangsläufig so sein. Es gibt auch die Möglichkeit - und das versuchen wir in unseren Kiyo-Gruppen, wenn es um Meditationsübungen geht, immer wieder - sich nicht zu identifizieren und Wortgedanken kommen und gehen zu lassen, wie sie wollen, aber ohne daran zu haften.

Adriana: Was meinst Du damit?"

Martin-Aike: Ohne damit irgendetwas zu tun, etwa tagträumend Geschichten zu entwickeln. Hier ist Achtsamkeit gefordert, in der es möglich wird, auf der Wahrnehmungsebene zu bleiben und das Aufkommen der Gedanken als ein körperliches Ereignis anzuschauen, ohne es zu berühren alias ohne dem Energie zu geben alias ohne involviert zu sein. Die eigenen Gedanken zum Meditationsobjekt zu machen, das ist eine Kunst, die auch im Alltag, wenn man anderen zuhört oder im Gespräch ist, konfliktvermeidend angewandt werden kann. Dieses Distanziertsein vom Aufkommen der Gedanken in der Meditationsübung kann bis zur weiteren Distanzierung, ja Loslösung vom Körper führen. Im Zen spricht man davon „den Körper zu verlieren". Das geschieht in der Übung für sich in der Stille ohnehin in kaum merklichen bis recht deutlichen Graden.

Häufig ziehen sich die Gedanken ganz zurück - manchmal, nachdem sie noch einmal heftig aufsprudelten. Dann ist auch der Zentralgedanke nicht mehr da - das Ich -, und es herrscht ein Zustand ähnlich dem Tiefschlaf vor, den der Mensch ohne Ich-Gedanken direkt nicht bezeugen kann.

Adriana: Wie kommst Du dahin?"

Martin-Aike: Das geschieht in meinem Fall unter anderem durch KiYo-Meditationsübungen in natürlichen passenden Zeiten und manchmal in geeigneten Situationen auch spontan. z. B. in der Natur.

Adriana: Diese Versenkung, die offensichtlich nur durch vorübergehende Verabschiedung von der Wortebene möglich wird, steht also am Anfang der Bewusstseinstransformation. Wenn wir nur miteinander sprechen, kommt es nicht zum tieferen Verständnis dessen, was gemeint ist. Oder?

Martin-Aike: Auf der Wortebene, auf der wir jetzt sind, kann das nicht verstanden werden. Es sei denn, jemand macht aus diesen Bewusstseinsprozesse beschreibenden Worten eine Meditationsübung, eine Art Koan-Übung, oder es setzt der geistige Yoga, der Jana-Yoga, ein. Aber soweit kommt es in aller Regel nicht. Im Gegenteil: Solche Worte werden meistens nicht einmal als Anreiz genommen, es selber mit Meditationsübungen zu versuchen. Vielmehr geht es meistens um reflexartiges Ablehnen solcher Übungen.

Aber ohne Versenkung in den Urgrund - wie immer die auch geschehen mag - kommt es zu keinem Verständnis dessen, was so fundamental wichtig ist. Christen der Mystik würden das anders formulieren: „Ohne das Sein in Gott geht gar nichts." Der Mensch bleibt ohne solche Bewusstseinsvertiefung in der Wortebene ein gebundener und zappelt darin ein Leben lang. Er sucht nach Befreiung und denkt und tut das Unmöglichste, wie die Fliege im Leim. „Was die Menschen »Schicksal« nennen, sind meistens nur ihre dummen Streiche." sagte Schopenhauer. Schaut man sich die Welt an, wie sie ist, kann man dem zustimmen. Natürlich versteht man als solchermaßen Indoktrinierter auch die Bibel nicht, oder die Upanishaden. Auch Platons Sokrates bleibt unverständlich und tatsächlich gibt es Leute, die sich ihrer Hybris nicht schämen und diese großen Verwirklicher belächeln, verspotten und es sogar dahin bringen, einen der Allerbesten zu kreuzigen. Und was ist mit Plotin und seinen drei Hypostasen[79], oder mit Jakob Böhme und seinem Fünklein?[80]

Wenn man allerdings bedenkt, dass die meisten Menschen auf der Wortebene bleiben und von dort nicht verstehen können, was das Wichtigste ist, wird das leider übliche Verhalten diesbezüglich verständlich. [81]

Adriana: Dass über den Zustand der Versenkung aus unmittelbarer Anschauung nichts zu sagen ist, leuchtet ein, da es den Beobachtenden in diesem Zustand nicht gibt. Aber vielleicht kann in mittelbarer Anschauung etwas dazu gesagt werden?

Martin-Aike: Ja, richtig. Im Zustand der Versenkung gibt es kein Ich und kein Du. Subjekt und Objekt sind zur Ruhe gekommen. Das Gehirn stellt in diesem außerordentlichen Zustand wie auch im Tiefschlaf Gedanken nicht her, auch nicht den Ich-Gedanken. Dass es diesen Zustand überhaupt gibt, ist eine Annahme, auf die aus den Wirkungen der Meditation geschlossen werden kann. In unserer Ki-Yoga Gruppe haben wir diese Wirkungen mehr oder weniger immer wieder gespürt und haben darüber auch gesprochen. Dann war die Rede vom meditativen ge-

---

[79] s. Fußnote 67
[80] s. Fußnote 69
[81] vgl. M.A. ALmstedt „Briefwechsel zwischen M.A.A. und einem positivistischen Ideologen"

samtorganismischen Gestimmtsein, von unbegrenzter Ausdehnung, von Körperlosigkeit und dem völligen Fehlen von Angst. Das wichtigste Gefühl dabei ist allerdings das Mitsein mit sich selbst, mit anderen und anderem, alias die überpersönliche Liebe. Dass darin Hass, Ausgrenzung, Ideologie usw. keinen Platz haben, ist selbstverständlich.

Allerdings wird versucht, diesen Zustand näher über elektrophysiologische Ableitungen und bildgebende Verfahren, etwa Hirntomographien, zu verstehen. Und tatsächlich treten hier deutlich Signifikanzen auf. Derartiges betrifft jedoch nur die messbar in Erscheinung tretende physiologische Seite des Phänomens. Das wirklich Interessante und für den Menschen Wichtige ist jedoch, was diese Versenkung bewirkt; egal, ob sie yogisch, durch Gebet oder sonstwie herbeigeführt wurde.

Adriana: Vorhin erwähnten wir auch Philosophen. Die haben alle viel geredet. Wie passt das zusammen, wenn doch das Entscheidende nicht im Reden zu fassen ist?

Martin-Aike: Es hat mit dem Denken in Worten, ja in Symbolen überhaupt und damit auch mit der Philosophie zu tun. Das Entscheidende ist, dass der aus der Versenkung aufsteigende Mensch - ich sage es jetzt ganz direkt - die Liebe in sich hat, die nicht habenwollende, die nicht nutzbringende etc. sondern einfach nur die Liebe ohne Objekt, ohne Absicht, ohne Motiv. Wenn jemand verliebt ist, das ist eine andere Liebe als die hier gemeinte. Aber das Beispiel kann trotzdem auf die richtige Spur führen. Dann sieht dieser Mensch alles rosarot, wie man sagt, er ist auf Wolke Sieben. Und nun kommt das Wichtigste: Diese Liebesgefühle selektieren sein Wortdenken. In diesem Zustand könnte er „die ganze Welt umarmen". Wenn er z. B. jemanden trifft, mit dem er heftige Probleme hat, macht es das Liebesgefühl, dass er gegenüber der problematischen Person nun anderes empfindet als sonst. Er hat nicht das Bedürfnis, ein Schimpfwort zu denken oder es gar auszusprechen, obwohl die problematische Person dieses oder ähnliches möglicherweise verdient hätte. Auch sieht der oder die Verliebte anders als sonst aus, vielleicht etwas hübscher, entspannter, glücklicher usw. Ähnlich verhält es sich mit der Liebe, die aus meditativem Mitsein aufsteigt. Diese Liebe durchdringt den Menschen auf grundlegend existentielle Weise und führt ihn zur Bewußtseinstransformation alias zur Umwertung seines Selbst- und Weltbildes. Über solche transformativen Prozesse kann dann nachgedacht und gesprochen werden. Darin liegt für mich die Basis der Bewusstseinsphilosophie.

Adriana: Wie blickt der oder die so Liebende in die Welt, z. B. auf einen Nachbarn?"

Martin-Aike: Er oder sie sieht vielleicht zum ersten Mal die tiefen Sorgen im Gesicht dieses Mannes, der vielleicht die unbegreifliche Eigenschaft hat, ein Nazi zu sein, sieht diese Sorgen, sieht sie in der Haltung, im Gang und hört sie im Stimmklang. Das Gefühl der überpersönlichen Liebe hat dann dieses Umkippen, diese Kippfigur, hervorgebracht. Der Blick des oder der Liebenden in die Welt ist ein anderer geworden. Oder ein anderes Beispiel: Kann ein überpersönlich Liebender daran denken, jemanden durch Konkurrenz zu schädigen, oder vielleicht sogar Waffenhandel zu betreiben? Und wenn er z. B. Landwirt ist, käme es ihm dann in den Sinn, die Felder und damit die Nahrung zu vergiften oder als Mediziner gar Organraub zu betreiben, oder als Politiker Kriege anzuzetteln, um Geld zu verdienen?

Adriana: Ja, das Geld und der völlig übertriebene, kranke Wunsch, es massenhaft zu besitzen.

Martin-Aike: Wer wirklich tief überpersönlich liebt, hat andere Prioritäten, andere Werte. Solche des Pflegens, Behütens, des Leid-mindern-Wollens im engsten Kreis und weiter ohne Grenzen. Er kann weder sich noch andere noch die Natur schädigen. Er wird zu einem einfachen liebenden Menschen, zum Materpaklitisten und damit selbstredend auch zum Antikapitalisten, Antirassisten. Antifaschisten etc. Das aber nicht im Modus des Kampfes sondern im Modus des tiefen Mitseins. Als Philosoph wird er das auszuarbeiten versuchen, wird Bücher schreiben und Vorträge halten.

Adriana: So ist es wohl bei einem durch Meditation verwandelten Menschen. Seine veränderten, auf überpersönliche nicht habenwollende Liebe geeichten Gefühle bewahren ihn vor lebenschädigendem Denken und Handeln. Er fühlt und denkt Situation für Situation niemals in vorgefassten Bahnen, dogmatisch gar, sondern aus der Tiefe seines Seins, liebend und damit wahr und handelt entsprechend. Habe ich das so richtig verstanden?

Martin-Aike: Ja, Du sprichst eine Wahrheit aus. Eine Wahrheit allerdings, die für diejenigen, die die Erfahrung der Verwandlung durch meditative Versenkung nicht gemacht haben, Unfug ist. Und das sind wohl die meisten. Hier wäre es nötig zu üben. Ohne das geht es nicht. Es ist schon so, wie unser Altmeister Goethe sagte: „Wer immer strebend sich bemüht, den können wir erlösen".

Adriana: ... sich bemüht, - und zwar fortdauernd. Ja, das ist es eben, aber das tut kaum jemand. Es könnte vielleicht wirklich alles anders sein, wenn alle meditieren würden, allerdings auf die richtige Weise. Dann wäre die Welt wahrscheinlich ein Paradies. Aber die Welt steht vor dem Abgrund. Und nun? - Und wenn das alles nicht stimmt, diese Verwandlung zur Liebe und zum lebenpflegenden Denken und Handeln und zur Fähigkeit, lebenfördernde Dinge zu erschaffen? Ich muss das doch alles glauben. Vielleicht ist ja doch alles Unfug. Wer weiß das schon?

Martin-Aike: Wissen kann man das nicht in dem Sinn, dass man es von Worten ableiten kann. Du kannst es aber erfahren. Fang heute noch damit an. Aber damit es Dir leichter fällt, es wenigsten für möglich zu halten, dass es so etwas gibt, noch etwas:

In seinem Buch „Die Gruppe"[82] erwähnt Horst Richter die relativ junge Wissenschaft Logophanie[83]. Hier geht es darum, den Zusammenhang zwischen dem Fühlen und dem Wortdenken zu erforschen. Richter, der sich auf Paul Christian[84] beruft, schreibt, dass die Gefühle das Wortdenken im höchsten Maß beeinflussen. Und zwar nicht nur im Alltag - das kennen wir alle - sonder bis hinein in die Wissenschaft, ja bis hinein in komplexe Strukturen der Mathematik. Eben deshalb ist es besonders heute dringend nötig, die Gefühle in überpersönlich liebende zu wandeln. Und das kann durch Meditation geschehen.

Adriana: Was würde das für die Welt heute in ihrem gefährlichen Zustand bedeuten?

Martin-Aike: „Ora et labora" war das Motto der Benediktiner, das geradezu mantrisch rezitiert wurde. Das können wir uns im dargelegten Sinn auch sagen.

---

[82] Horst Richter, Die Gruppe, Rowohlt 1978
[83] in Psyche, Eine Zeitschrift für Tiefenpsychologie und Menschenkunde in Forschung und Praxis, 4. Jg. 1950, 5. Heft
[84] Paul Christian, Über Logophanie, Psyche - Eine Zeitschrift für Tiefenpsychologie und Menschenkunde ..., Verlag Lambert Schneider, Heidelberg 1950

Das Sein in der meditativen Versenkung, alias das Sein in Gott, wie Christen der Mystik sagen würden, strahlt aus und in das daraus fließende Denken hinein und in die Praxis des Lebens überhaupt. Das bedeutet nicht, dass Meditierende durchgehend perfekte Heilige sind. Selbst Jesus wurde gewalttätig, als er die Wechsler aus dem Tempel trieb. Aber man ist im Prozess der Transformation, und das ist schon viel. Eine meditierende Gruppe kann diesen Prozess verstärken. In den 70er Jahren wurde durch den Begründer der TCM-Meditation, Maharishi Mahesh Yogi, in Chicago ein Experiment gemacht, das Aufsehen erregte. Mehrere Hundert Meditierende versammelten sich in der Stadt und meditierten mehrere Tage lang. Daraufhin sank angeblich die Kriminalitätsrate signifikant. Solche Effekte sind auch durch den Biologen Rupert Sheldrake bekannt geworden. In seinem Buch „Das schöpferische Universum"[85] und weiteren Büchern zeigt er anhand vieler Experimente, dass Bewusstseinsgegenstände grenzenlos wirken; auch dann, wenn ein Ich-Gedanke (wie im Falle von Affen) kaum ausgebildet ist. Auch praktizierte Fernheilungen, wie Jesus sie den Überlieferungen nach besonders wirkungsvoll ausübte und viele andere vor und nach ihm das bis heute tun, bezeugen das, man den-

---

[85] Rupert Sheldrake, Das Schöpferische Universum (Die Theorie der morphogenetischen Felder und der morphischen Resonanz), Nymphenburger Verlag 2008

ke nur an den schlafenden Propheten Edgar Cayce.[86] Im Mittelalter gab es Klöster, in denen wirkungsvoll für die Welt gebetet wurde. Winzige Reste davon sind bis heute in den Gottesdiensten vorhanden.

Adriana: Lass uns noch einmal über die künstliche Dingwelt reden, welche Rolle spielt die in diesem Kontext?

Martin-Aike: In der künstlichen Dingwelt, einschließlich der weltumspannenden elektronischen, spiegelt sich Bewusstsein, wie in allen menschlichen Erzeugnissen. Und dieses Bewusstsein strahlt auf die Menschen zurück. Wir sprachen darüber. Aber nicht nur im Zen hat man ganz bewusst versucht, menschlichen Erzeugnissen den Geist des transformierten Bewusstseins einzuhauchen, den Dingen sozusagen eine erlöste Seele zu geben. Auch hier bei uns war das im Mittelalter ein Ziel. Das zeigt sich in den unglaublichen Dombauten oder auch Basiliken wie z. B. an der Basilika San Marco in Venedig, ebenso in der E-Musik von der Gregorianik bis hin zur Gegenwart. Von all diesem sind allerdings die heutigen Zweckbauten oder die gängige Popularmusik weit entfernt.

Adriana: Wir haben unser Gespräch mit einem zentralen buddhistischen Text begonnen. Warum? Meine Frage: Bist Du im Grunde Buddhist, ich dachte immer Du seist Ki-Yogi?

---

[86] Edgar Cayce, Du weißt, wer du warst, Goldmann 2000

Martin-Aike: Nein das bin ich sicher beides nicht.

Adriana: Was bist Du dann? Du übst allein und mit deiner Gruppe Ki-Yoga. Du gehst oder läufst regelmäßig mit uns durch den Wald, verstehst, was die Vögel singen und die Bäume wispern. Bist Du Schamane und gehörst vielleicht sogar heimlich dem Candomblé an?

Martin-Aike: Was man sich so alles zusammenphantasieren kann! Nein, natürlich nicht.

Adriana: Dann bist Du Hinduist?

Martin-Aike: Nein!

Adriana: Du hast aber selbst gesagt, Du seist Materpaklitist.

Martin-Aike: Nein auch das nicht.

Adriana: Bist Anhänger des jüdischen Glaubens? Du spielst doch oft mit jüdischen Musikern zusammen. Oder Heiler? Du hast ja auch ein philippinisches Heilerdiplom?

Martin-Aike: Nein, gar nicht. Nichts davon!

Adriana: Dass Du Christ bist, weiß ich, egal jetzt, ob katholisch, evangelisch calvinistisch oder sonst was. Dagegen kannst Du jetzt nichts sagen. Oder?

Martin-Aike: Nein, das bin ich überhaupt nicht.

Adriana: Dann bist Du auch nicht Krishnamurti-Anhänger, oder Bhagwanschüler, Moslem oder wenigstens Humanist. Von alldem bist Du nichts?

Martin-Aike: Das bringt uns auf die Spur. Von alldem bin ich nichts. Richtig. Und doch könnte ich alles sein, sofern es nur immer wieder - Situation für Situation - aus der mystischen, yogischen, buddhistischen oder jüdischen usw. Liebe hervorginge. Alles andere ist nur Beiwerk, und als solches manchmal nützlich, manchmal auch nicht.

Adriana: Dann bist Du eigentlich nichts von alledem.

Martin-Aike: Nein, aber man könnte vielleicht sagen, dass ich mich immer wieder bemühe, ein Schüler des Nichts zu sein. Des Nichts, aus dem Wahrheit fließt. Nicht des defizitären Nichts, sondern des im reinen Wahrnehmen erfüllten Nichts.

Adriana: Also der Meditation.

Martin-Aike: Ja.

Adriana: Meditation, das ist heute so ein Allerweltswort geworden. Ich hörte mal, dass einer sagte: „Ich meditiere, wenn ich mein Mettwurstbrot esse und mein Bier trinke."

Martin-Aike: Ja, das kann ich verstehen.

Adriana: Wie das?

Martin-Aike: Ich kann das verstehen, nicht allerdings unbedingt gutheißen. Immerhin ist der Betreffende für den Augenblick des Essens auf der Wahrnehmungsebene, wenn es ihm nur richtig schmeckt und er keinen Wortgedanken im Kopf hat. Allerdings wäre das ein kontraproduktiver Einstieg in die Meditation, da diese „Übung" zur Vertiefung völlig ungeeignet ist und sich sogar schnell gegen den Betreffenden wendet. Im besten Fall wird der Mensch müde und schläft ein.

Adriana: Und im schlechtesten Fall?

Martin-Aike: Dann geht es ihm wie Buddha, und er stirbt an seiner Schweinemalzeit.

Adriana: Diese Sorte Unfug bezüglich Meditation ist überall im Munde vieler Menschen. Heute ist ja auch alles Yoga. In jeder Illustrierten ist der Unfug zu lesen. Und auch aus der Psychologen-Zunft kennt man Leute, die diesen Blödsinn mitgemachen. Die bieten dann Bewegungs- und Entspannungscoaching an. Vor dem alles zerstörenden Gelddenken ist auch das Beste nicht sicher. Ich sehe das jedenfalls so.

Martin-Aike: Manche wie Krishnamurti haben das Wort „Meditation" weitgehend verworfen. Das Sitzen mit gekreuzten Beinen fand er lächerlich. „Das ist nicht Meditation" hörte ich ihn manchmal sagen. Nichtsdestoweniger saß er mit gekreuzten Beinen, ja im Lotussitz, oft stundenlang in seinem Zimmer. „Er meditiert?" fragte ich, „Nein, er sitzt nur" war dann die Antwort. Es ist schwer und eigentlich unmöglich, sich dem Zugriff des Geldes und der Mode zu entziehen. Auch die diesbezüglichen Versuche Krishnamurtis wirkten hilflos.

Martin-Aike: Du bemühst Dich immer wieder, ein Schüler des Nichts zu sein und so zur Wahrheit zu gelangen. Aber gelingt dir das denn immer wieder?"

Martin-Aike: Immer leider nicht. Wenn ich z. B. an Babyn Jar denke und mir die Bilder vor Augen führe, oder gar im Internet sehe, dann weine ich nur verzweifelt und untröstlich und möchte kein Mensch mehr sein. Das mache ich in diesem Augenblick nicht. Jetzt bleibe ich nur bei Worten und verdränge das, wovor eigentlich alle Worte zerspringen. Aber ich weiß, wovon ich spreche, wenn es um die Frage nach der Erlösung geht. Und die Erkenntnis, dass es das in meinem Leben gibt, hat mein Leben für mich und wohl auch für andere sehr positiv verändert.

Adriana: Mir wurde von jemandem, der in Hannover in einer buddhistischen Ausbildung ist, gesagt: „Von dem, was bewusstseinsmäßig erreicht werden kann, ist Martin-Aike und sind auch die anderen seiner Ki-Yogagruppe noch sehr weit entfernt. Die stehen noch alle weit im Schatten dieser Bewusstseinsgrößen in Hannover. Gegen die sind Aiki und seine Schüler nichts, und davon steht auch in Aikis Büchern nichts."

Martin-Aike: Das mag alles sein, wie es will. Es interessiert mich nicht wirklich und schon gar nicht das Angebete und Nachgemache, dass es in diesen Kreisen gibt. Das führt vom eigenen Weg weg. Jeder und jede sei sein bzw. ihr eigenes Licht. Wir haben diesen Satz oft zitiert. Solange das nicht der Fall ist, ist jedes So-Tun-als-ob eine Sackgasse. Das kleinste Pflänzchen ist, wenn es echt ist, mehr wert als ein Mammutbaum aus Plastik.

Adriana: Du hast Dich für das materpaklitistische Denken, wie du das nennst, stark gemacht. Ich hatte den Eindruck, dass es ohne das für dich nicht geht. Und Du hast ja auch scheinbar großes Glück gehabt. Deine Eltern liebten sich und liebten auch Dich und Deine Geschwister. Und in den Wald konntest Du immerzu gehen und die Natur von Kindesbeinen an als Freund, als Teil Deiner selbst betrachten, auch wenn der Anlass, Dich mit der Natur so zu verbinden, ein entsetzlicher war. Die Klimaproblematik oder auch die atomare oder virale Verseuchung gab es da noch nicht. Du bist in dieser materpaklitistischen Grundform aufgewachsen. Aber das ist nicht jeder Mensch.

Martin-Aike: Leider nicht, das stimmt. Trotz Krieg, trotz Auschwitz und Babyn Jar waren die materpaklitistischen Verhältnisse für mich sehr gut, auch wenn das Morden um uns herum die Grundfesten des gefühlten menschlichen Gutseins erschütterte. Für andere, die keine gute materpaklitistische Kindheit hatten, war der Unterschied zwischen Gut und Böse vom Grunderleben her nur schwer auszumachen. und auch die Frage, worin das Böse genau besteht, war für sie nicht so drängend. Ein Mensch der vorwiegend im Bösen aufwächst und dort auch seine Gruppe findet, wird kaum Ideologien, Nazis usw. in Frage stellen. Dazu bedürfte es schon einer erheblichen Bewusstseinsentwicklung.

Wir bemühen uns im zehnfeldrigen KiYo, egal von welchem Bewusstseinsstand wir ausgehen, zum materpaklitistischen Denken, Wahrnehmen, Fühlen und Empfinden zu gelangen. Das geht, auch wenn dies eine Neukonditionierung bzw. eine neue neuronale Vernetzung bedeutet. Die allerdings muss dann aus den jeweils meditativ freigelegten eigenen Lebensquellen selbst kreiert werden. Alles andere lässt den sich befreien wollenden Menschen scheitern.

Adriana: Und diese Neukonditionierung ist dann völlig verschieden von dem, was die unterschiedlichsten Lebensläufe anderer mit unterschiedlichster Traumatisierung erzwingen? Was genau ist damit gemeint? Etwa: Diese Neukonditionierung ermöglicht ein völlig anderes Leben? Auch bei noch so traumatischem Lebenslauf?

Martin-Aike: Ja, auch wenn die Traumata sehr tief sind. Eine Neukonditionierung und ein dementsprechendes neues Leben sind immer möglich. Es gibt Berichte, nach denen selbst aus Mördern Heilige wurden. Die Zen- Literatur ist voll davon.

Adriana: Ich habe in meiner Kindheit weiß Gott viele schlimme Blessuren erlitten und bin froh, dass ich daraus halbwegs heil herausgewachsen bin, seinerzeit auch mit Hilfe dieser Gruppe hier. Jetzt frage ich mich: Bin ich dem, was Du, Martin, mit dem Wort „materpaklitistisch" meinst, nähergekommen? Habe ich meine Traumata in diesem Kontext erfolgreich bearbeiten können? Ich fühle und denke: „Ja, trotz der schlimmen Erfahrungen in meiner Kindheit, in der ich keine durchweg behütende Liebe erfahren habe. Aber seitdem bin ich meinen selbst gestalteten KiYo-Weg gegangen, auch wenn ich immer wieder davon abgekommen bin. Heute fühle ich Liebe in mir und auch meine Kinder wachsen liebevoll auf".

Martin-Aike: Wahrscheinlich hatte ich es leichter als Du, den heilen Grundstock meines Lebens wiederzufinden - unter allen furchtbaren Erschütterungen, die ich wahrhaft verarbeiten musste.

Adriana: Kann man diese Aussage verallgemeinern? Glaubst du, dass KiYo und Meditation jeden Menschen zur Gesundung, zur Liebe und zur Natur führen?

Martin-Aike: Ja, sogar bis zum Urgrund, aus dem solche Gesundung erwächst: nämlich bis zur großen Kippfigur, also in die Nur-Wahrnehmung ohne Worte, ins erfüllte Nichts. Meiner Erfahrung nach auch mit anderen Menschen liegt dort die Grundheilung und für jeden. Ohne die Verwandlung aus dem Ursprung ist auch materpaklitistisches Denken, Fühlen, Empfinden und Wahrnehmen gar nichts. Hier hat die Liebe - die überpersönliche materpaklitistische Liebe - ihre tiefste und dauerhafteste Wurzel.

Adriana: Du hast von deiner Ursprungsfamilie noch nichts erzählt.

Martin-Aike: Mein Vater und seine Schwester waren im eigentlichen Sinn des Wortes religiös. Sie übten religio, d.h. sie beteten viel. Meine Eltern sangen christliche Lieder jeden Abend an meinem Bett. Ich hörte viel von Gott und seinen Engeln. Dieses Beten und Singen war echt, es kam aus tiefstem behüten- und bewahrenwollendem Herzen. Das Singen, besonders seitens meiner Mutter und dann das gemeinsame Singen, wobei sie gerne und oft eine zweite Stimme improvisierte, begründete wahrscheinlich neben meiner offenen freikonfessionellen Religiosität auch meine Musikalität. Die Gefühle dabei waren der Segen, nicht in erster Linie die Worte.

Adriana: Du unterscheidest religio von Religion. Was hat das zu bedeuten?

Martin-Aike: Religion hier zulande ist weitgehend die christliche. Allerdings findet man In der Bibel den Satz: „Sei still vor Gott". Das ist die Anweisung zur

Rückbindung alias zur religio. Die Christen des echten Christentums würden sagen: Die überpersönliche Liebe, Agape, die aus solcher Versenkung aufsteigt, nämlich aus dem Sein in Gott, das ist der Ausgangspunkt aller Worte über die Liebe, d.h.: jeder Religion. Diese Liebe ist, wie schon gesagt, auch der Boden des materpaklitistischen Denkens. Letztlich strahlt sie in jede Form der Menschenliebe des weiblich/männlichen Prinzips aus.

Gleich am Anfang der Bibel, in der Genesis, findet man auch die dritte Wurzel des materpaklitistischen Denkens: Die Natur, und wie mit ihr umgegangen werden soll.

Da heißt es: „Macht euch die Erde untertan", also nutzbar. Es heißt nicht: „Plündert sie aus, vergiftet sie, tötet soviel Arten, wie ihr könnt, verändert das Klima, bis es euch und alles Leben umbringt usw." In anderen Religionen, z. B. im Buddhismus, aber besonders auch im Schamanismus wird dieser biblische Gedanke unmissverständlich im Sinne von pflegen und beschützen ausgedrückt.

Auch findet man in der Genesis Ernährungsvorschriften, die auf pflanzliche Kost hinauslaufen und damit das entsetzliche Tierzüchten, -schlachten und -fressen verhindern. Das wird allerdings von den meisten Menschen und auch vielen, die sich Christen nennen, derart missachtet, dass heute der Methanausstoß der Massentierhaltung einen Großteil zum Klimawandel beiträgt.

Adriana: Materpaklitistisches Denken, so könnte man sagen, ist schlichtweg gesundes menschenwürdiges Denken, ist damit auch am Boden des Buddhismus, auch wohl des Hinduismus anzutreffen? So gesehen, wäre materpaklitistisches Denken die Grundlage überhaupt von allem, was gut ist, oder zumindest könnte es das sein. Aber diese Grundlage fehlt in vielen Religionen. Man denke nur an die Religionskriege.

Martin-Aike: Ja, wenn religio zur Religion wird und nur noch aus Worten besteht, aus Ideologien alias Dogmen, und auch aus Sanktionen, Strafen usw., dann sind Krieg, Mord und Vernichtung nicht mehr weit entfernt. Die Religionskriege haben mehr Menschen umgebracht als alle politischen Kriege zusammen, sagt Deschner in seiner Kriminalgeschichte des Christentums[87]. Der ursprüngliche mystische Orientierungsfaden, der es ermöglichte, aus der Versenkung Liebe und Wahrheit zu schöpfen, war schnell in den Wort-Religionen verloren gegangen.

Adriana: Du hast gesagt, dass du auch Buddhist oder Christ usw. sein könntest, wenn du im Buddhismus oder im Christentum materpaklitistisches Denken, Wahrnehmen, Fühlen und Empfinden anträfest. Das verstehe ich. Vielleicht wäre ich dann gerne Christin. Aber wenn ich daran denke, dass Christen AfD wäh-

---

[87] s. Fußnote 45

len, was dem materpaklitistischen Denken, Fühlen und Empfinden völlig widerspricht, und damit auch der Liebesbotschaft Jesu, dann überfällt mich das Grausen.

Martin-Aike: Mich auch! - Wenn die Religionen einen echten gemeinsamen Boden im erfüllten Nichts alias im Göttlichen haben, unterscheiden sie sich eigentlich nur durch Übungen, Riten und Gebräuche, sowie durch ihre unterschiedlichen aber prinzipiell lebenfördernden Gedankengebäude. Gegenüber dem In-Gott-Sein, wie es die Mystiker ausdrückten, gegenüber der überpersönlichen Liebe sind diese Rituale und Gebräuche sekundär. Und wenn dieses Sekundäre isoliert auftritt, ist es christlich ausgedrückt sogar Sünde, ein Sund, ein Graben zwischen dem ideologisierten Menschen und Gott. Entscheidend ist nur, ob jemand zur Wurzel, und daraus zum materpaklitistischen Denken, Fühlen Wahrnehmen und Empfinden kommt oder nicht. Da mag er hilfsweise Buddha-Bildnisse anschauen oder Marienikonen mit dem Jesusknaben, mag innig beten, bis alle Worte sich auflösen, oder Mantra-Meditationen betreiben, bis das Mantra verschwindet und das Göttliche im Menschen da ist. Man muss es nur tun, den Sprung in das eigene Sein im Ursprung, wie auch immer, diese Verwandlung ist wichtig. „Werdet wie die Kinder" sagte Jesus.

Welche Übung, welchen Ritus, welches Denkgebäude der oder die Einzelne für sich als passend und hilfreich erlebt, um aus tiefsten Seins-Sphären zur Versöhnung mit sich selbst, mit anderen und anderem zu gelangen, hängt von der persönlichen Neigung ab und von der Fähigkeit, die jeweils verschiedenen Praktiken und Aussagen für sich selbst im Sinne optimaler Wirksamkeit passend zu machen. Sonst ist auch da nur wieder leeres Nachtun, in dem ein Mensch sich selbst verfehlt.

Adriana: Im Christentum gibt es einen Gedanken, in dem ein sehr einfacher Weg angeboten wird: Durch seinen Kreuzestod hat Jesus uns erlöst und zwar von allen Sünden. Er hat die schwere Arbeit der persönlichen Transformation auf sich genommen. Dank Jesu können wir Menschen also unsere Bemühungen einstellen.

Martin-Aike: Mit solchen Floskeln hat die Kirche lediglich versucht, den Menschen unmündig zu halten, um ihn besser beherrschen zu können. Das war und ist infam. Auch das bahnte und bahnt dem Raubtierkapitalismus eine riesige Fahrbahn.

Adriana: Du hast verraten, was Du alles sein könntest, wenn vom Sein im Ursprung her gefühlt und gedacht wird. Was könntest Du nicht sein. Kannst Du das sagen? Wie wäre es mit „erzkonservativer Kirchenchrist" oder gar „Nazi"?

Martin-Aike: Du hast mein Buch gelesen. Denke an die Geschichte vom Superindenten Runte, der den Pastor Benfey ins KZ brachte. Dieser Mann war beides: erzkonservativer Kirchenchrist und Nazi. In Wahrheit war er natürlich überhaupt kein Christ, sondern Gefolgsmann eines teuflischen mörderischen Systems.

Ein echter Christ wie auch ein materpaklitistisch denkender und fühlender Mensch liebt. Er hasst nicht. Nun ist Hass nicht das Gegenteil von Liebe, so wie wir sie materpaklitistisch verstehen. Aber das muss jetzt nicht erklärt werden. Es ergibt sich aus dem, was wir über die Meditation oder (christlich gesagt) über die Versenkung in Gott gesagt haben.

Tatsache ist: Das Feuer kann nicht zum Wasser werden und umgekehrt. Aber was ich immer versuche, ist, aus dem Urgrund mitseiend zu sein und solchen Menschen so zu begegnen, was nicht heißt, ihre Maske zu billigen. Das gelingt oft aber nicht immer.

Adriana: Es ist jetzt viel gesagt worden. Und auch in Deinem Buch, das ich gelesen habe, steht vieles. Kannst Du die wesentlichen Linien noch einmal herausarbeiten, sozusagen eine Zusammenfassung geben?

Martin-Aike: Wenn ein Mensch geboren wird, sind für ihn idealerweise drei Lebens-Wurzeln bestimmend:

Die im Ursprung wurzelnde Liebe der Eltern zu ihren Kindern und auch zueinander, wobei Mutter und Vater eine asymmetrische Diade bilden, ferner ist das

Klima wichtig und überhaupt die Natur, nicht zuletzt, weil der Mensch ein Teil davon ist. Oft hat er sich allerdings von all dem entfernt oder wuchs darin gar nicht erst auf. Dann fehlen ein oder zwei Wurzeln oder sind krank.

Wenn ein Mensch anfängt in Worten zu denken, ist das schon dialektisches Denken: Er gewinnt im Denken etwas in Unterscheidung zu *Anderem* und bildet oft bereits ein Drittes. Später beginnt sein dialektisches Denken in der Identität zu verharren und wird somit reproduktiv, wiederkäuend, unkreativ; Sein Denken verliert sich an etwas als gewiss Geglaubtes. Das *Andere* wird schwächer bis es kaum noch da ist, was zu schlimmen Begleiterscheinungen ideologischen und paraideologischen Denkens und Handelns führt; im schlimmsten Fall zu Krieg, Massenmord, Genozid und Armageddon.

Die Frage ist an dieser Stelle: Wie können diese drei Wurzeln erhalten bzw. neu aufgebaut werden, so dass Fehlentwicklungen wie das Eintauchen in den braunen Sumpf nicht stattfinden können.

Die Antwort ist: Erstens, indem dialektisches Denken wieder einsetzt und dabei das *Eine*, das aus dem *Anderen* hervorgeht, relativiert wird. Der entscheidende Merkspruch ist dabei: Haben - das *Eine* - als hätte man es nicht. Dann kann man das *Eine* leichter loslassen, so dass *Anderes* sich einstellt. Das, was sich einstellt, ist dann zumeist etwas, das gut tut. Das wählt man dann und baut es aus. Allein schon durch solches Loslassen des *Einen*, also das Loslassen verfestigter Gedanken, Empfindungen, Gefühle und Wahrnehmungen ist man bereits materpaklitistischem Denken näher als zuvor. Das ist schon ein großer Schritt. Aber man ist noch nicht ganz auf der sicheren Seite.

Der zweite Schritt besteht darin, keine Abkürzungen in der Erkenntnisgewinnung zu nehmen, also nicht im Kognitiven zu bleiben. Das ist das radikal Entscheidende: Indem man sich wie auch immer (für mich ist das die Meditationsübung) in das *Andersandere* versenkt, wo kein Ich, kein Du und auch nicht Raum und Zeit existieren. Da setzt existenzielle Dialektik ein. Das Sein in diesem Ursprung alias in diesem Nichtsein verwandelt dann die Empfindungen und Gefühle des Menschen und macht sie zu mitseienden, zu überpersönlich liebenden. So entsteht im tiefsten Kern materpaklitistisches Fühlen, Empfinden und Wort-Denken; auch für den nicht in Liebe und gesunder Natur aufgewachsenen Menschen. Um diesen bewusstseinstransformativen Prozess und um seine Auswirkungen auf das ganze Leben, nicht zuletzt auf das aktuell politische, geht es in diesem Buch, das wir in der Kaminrunde gerade durcharbeiten.

Die überpersönliche Liebe, zu der der Mensch in der großen Kippfigur fähig wird, bereitet wiederum der kleinen Kippfigur ins *Andere* des worthaft *Einen* den tiefsten Boden.

Meditatives Sein im Ursprung verhindert somit auch von Grund auf jedes Festgefahrensein in Ideologien, und fördert rückwirkend die Fähigkeit zum Haben als hätte man nicht.

Die nazistische Ideologie, von der in meinem Buch ausgegangen wurde, und deren großer Überbau - das kapitalistische, das lebenschädigende, ersatzhafte Geld- und Machtdenken, -fühlen und -empfinden, sie lösen sich im Sein im Ursprung auf.

Adriana: Im Zen heißt es: „Vor der Bewusstseins-transformation sind Berge Berge, nach der Bewusst-seinstransformation sind Berge wieder Berge."

Martin-Aike: Aber andere.

Adriana: Also dieses Meditieren, es wäre schön, das fühle ich; aber bei mir funktioniert das nicht.

Martin-Aike: Ja, aber schau mal: Wenn man z. B. Oboe, Trompete oder auch Geige spielen lernt, braucht man lange, bis man überhaupt über einen längeren Zeitraum primär wahrnehmend anstatt primär kog-nitiv denkend üben kann. Es treten dabei viele Stö-rungen auf: Zunächst tun die Lippen weh oder die Schulter, der Rücken; beim Gitarrenspiel sind es die Fingerkuppen. Wenn man dann nach ein paar Jahren weiter gekommen ist, kann man auch bis zu 10 Stunden täglich auf der Wahrnehmungsebene sein und üben. Bei Paganini waren es angeblich 16 Stun-den.

Ähnlich ist es mit dem Meditieren. Jetzt frage ich: Wie viele Stunden hast Du bisher täglich geübt? Wenigstens eine? Und hast du außerhalb der Meditationsübung im Sitzen auch immer und immer wieder die Übungen des wortgedankenfreien Wahrnehmens im Alltag für deine Bewusstseinsbildung genutzt?

Adriana: Ich weiß es nicht, aber ich denke, Deine Frage geht nicht nur mich an.

Martin-Aike: Ja, das stimmt wohl, mich auch.

Adriana: Letztlich sogar alle Menschen, die auf dem weglosen Weg sind. Denn wer kann schon die Meditationsübungen meistern, besonders die, die ganz einfach zu sein scheinen, wie z. B. einfach nur zu sehen, zu hören usw.? Das können wohl die wenigsten. Diese „ganz einfachen" Übungen, wie es immer heißt, sollten „extrem schwer" genannt werden. Nur sensorisch wahrnehmen, ohne Worte. Das kann man nicht einfach so.

Martin-Aike: Das ist richtig, denn das hieße, direkt in den Zustand der Meditation zu springen, und zwar ohne vorhergehende Übungen und Praktiken.

Adriana: Und mit diesen Übungen und Praktiken geht es dann für jeden Menschen?"

Martin-Aike: Nun, wir sprachen darüber: richtig angewandt kommt jeder Mensch dem Meistern dieser Übungen näher.

Adriana: Die Frage ist nur: wie nahe?

Martin-Aike: Klären wir das wieder einmal am Beispiel der Musik. Ich hatte einmal einen wirklich sehr begabten Schüler. Der brachte es fertig, innerhalb einer Woche eine ganze Beethoven-Sonate auswendig zu lernen. Aber auch das gibt es: Eine Schülerin wollte das Weihnachtslied „Oh du fröhliche" spielen lernen. Nach einem halben Jahr konnte sie es bis „fröh". Ein Jahr später hatte sie auch „liche" gemeistert. Ihre Begabung war kaum eine musikalische, sie lag in ihrer staunenswerten Ausdauer. Auf die Meditationsfähigkeit angewandt muss man wohl sagen, dass wohl die meisten eine solche Ausdauer nicht haben, aber bräuchten.

Adriana: Dann ist Dein Buch für die meisten überflüssig. Oder?

Martin-Aike: Sicher nicht insgesamt, allein schon deshalb, weil es kein Buch nur über Meditation ist. Diesem Thema habe ich ein eigenes Buch gewidmet.[88]

Adriana: Kommen wir noch einmal auf die wenigen Meditationsbegabten zurück. Sie spielen doch wohl

---

[88] s. Fußnoten 52 und 53

in den Transformationsprozessen, die das Schlecht-Bestehende überwinden, eine wichtige Rolle.

Martin-Aike: Auf diese wenigen kommt es wirklich an. Sie leisten unter den sogenannten „Weltverbesserern" den entscheidenden Beitrag, indem sie nicht vom Wort, sondern vom wortlosen Ursprung ausgehen. Nur so können Ideologie und Gewalt vermieden werden: Dinge, die in jeder Weltverbesserung, die nur vom Wort ausgeht, eine große Gefahr darstellen, wie man weiß. Ein Paradebeispiel dafür sind, wie wir schon feststellten, die im Wort stecken bleibenden Religionen, die zwangsläufig nicht zur Bewusstseinstransformation führen, ja sogar eher verhindern. Sie richten so viel Unheil an, dass der Dalai Lama sogar empfahl, alle Religionen abzuschaffen.

Andererseits gibt es auch viele weglose Wege zum Ursprung.[89] Dieses Buch deutet nur eine Möglichkeit an, die das *Andersandere* entstehen lassen kann: die des materpaklitistischen KiYo.

Adriana: Gesetzt den Fall, dass jemand meditierend zum Ursprung gelangt: Wem außer vielleicht dem Meditierenden selbst ist damit geholfen?

Martin-Aike: Denke nur an das Beispiel der Meditationsaktion in Chicago, die Maharishi Mahesh Yogi

---

[89] siehe Fußnote 52

vor vielen Jahren inszenierte und wodurch die Kriminalitätsrate in dieser Stadt signifikant sank.

Adriana: Dann stehst Du in dieser Hinsicht in der Tradition mittelalterlicher Klöster, in denen man glaubte, durch Beten die Welt verbessern zu können?"

Martin-Aike: Sofern dort beim innigen Beten die Worte ganz zur Ruhe kamen - wie es sich z. B. auch in geglückten Mantra-Meditationen einstellt. Das war dann echte religio, Rückbindung. Die Religion trat in den Hintergrund. Ein solch praktizierender Mensch war im übermenschlichen Frieden mit sich und allem. Das strahlte er aus, ohne in diesem Zustand davon irgend etwas zu wissen. Und dieses Phänomen gilt uneingeschränkt auch noch heute, wenn jemand in diesem heilenden alias heiligen Zustand ist - gleich ob Frau oder Mann. Das ist die naturgegeben gewaltlose, wahre und überpersönlich liebende Art, jedes Gegeneinander zu überwinden und im Miteinander Frieden in die Welt zu bringen.[90]

Adriana: Es gibt ja, wie man weiß, derzeit tausende solcher Friedens- und Kraftzentren auf der Welt - wie Oasen in der Wüste. Vielleicht kann man sagen, dass sie die Tradition dieser Klöster fortführen, wenngleich äußerlich in ganz anderer Form. Von diesen

---

[90] s. Fußnote 28

Zentren strahlt ein friedvolles in wegloser Meditation wachsendes Bewusstsein aus.

Wir gehören, glaube ich, auch dazu, die ganze Gruppe und jede und jeder einzelne darin und in seinem oder ihrem eigenen Leben. Allerdings verfehlt man den weglosen Weg immer wieder leicht. Das gehört scheinbar auch dazu.

Dieser weglose Weg ist sozusagen weitgehend ein dünner schwankender Steg über gefährlichen Wassern. Gibt es einen sichereren Weg?

Martin-Aike: Krishnamurti sagte als Begründung für die Auflösung seines Ordens: „Die Wahrheit ist ein pfadloses Land."

Adriana: Bis an den Rand dieses pfadlosen Landes zu gelangen, ist nur durch Meditation abgesondert vom sonstigen Leben vermutlich kaum möglich. Oder?

Martin-Aike: Ja das stimmt. Deshalb hat der Kiyo 10 Wachstumsfelder, die dem Weg in das ganze tägliche Leben bahnen.

Adriana: Da allerdings sehe ich dicke Stolpersteine, wovon auch in Deinem Buch die Rede ist. Wenn ich recht verstanden habe, liegt doch eine der Hauptursachen für all das angesprochene Übel nicht zuletzt im Bildungssystem, das Du grundgesetzwidrig, ja sogar ein Verbrechen nennst.

Martin-Aike: Ja, aber nicht für sich genommen, sondern als Symptom grundlegender Bewusstseinsverwerfungen, in denen das heilende Sein nicht außerhalb der Subjekt-/Objekt-Relation und damit auch nicht außerhalb von Raum und Zeit vorkommt.

Adriana: Gut, das haben wir geklärt. Aber bleiben wir mal vorübergehend an der Oberfläche. Es wäre doch schon viel gewonnen, wenn das Bildungssystem grundlegend anders würde. Dass es so ist wie jetzt, hat mich als Lehrerin viele Jahre lang gequält und die Schüler meistens wohl auch.

Martin-Aike: Du hast mein Buch gelesen und dabei sicher bemerkt, dass die Frage nach der Bildung darin ein wichtiges Thema ist. Denn die systemimmanent angelegte Bildungspraxis bewirkt Entfremdung des Menschen von sich selbst, d.h. von seinen mitgebrachten Lebensquellen, schafft Minderwertigkeit, schafft das Verharren im *Einen* und kompensatorisch lebenvernichtende Ideologien, die - wie beschrieben - zu Entsetzlichem führen und vielleicht sogar zum Untergang der Menschheit. Das pfadlose Land, wovon Krishnamurti sprach, ist angesichts solcher Gegebenheiten völlig unsichtbar geworden. Insofern ist eine ideologiefreie und damit eine in jeder Hinsicht gewaltfreie Bildungspraxis dringend nötig.

Adriana: Liegt das nicht auch an den Lehrern? Könnten die nicht das Ruder herumreißen?

Martin-Aike: Nicht grundlegend. Selbst aus gutwilligen Lehrern, die im sokratischen Sinn mäeutische Unterrichtsformen zu entwickeln versuchen, werden immer auch Erfüllungsgehilfen staatlicher Verordnungen. Zweifellos gibt es viele reformerische Ansätze. Aber - und das ist die entscheidende Frage - was ist der rote Faden, an dem sich die Schul- bzw. Bildungsreformen ausrichten müssten, wenn sie nicht schon vom Ansatz her ins Abseits geraten oder vielleicht sogar noch Schlimmeres hervorbringen sollen als die heutige Bildungssituation?

Nach allem, was gesagt wurde, liegt die Antwort klar vor uns. Diese Antwort darf primär keine Kopfgeburt sein, sondern muss in der materpaklitistischen Liebe wurzeln, die ihren tiefsten Grund im Urgrund allen Seins hat. Daraus entspinnt sich der rote Faden. Es gibt eben keine Abkürzung, und zwar für gar nichts im wahren Leben, auch nicht für die Bildung, die Kultur überhaupt, worin die echte Kunst ihren gesellschaftsbildenden Platz hätte sowie für andere entscheidende Bereiche des gesellschaftlichen Lebens: etwa die Familie, die Klimapolitik, das Gesundheitswesen, die Agrarwirtschaft und tausend andere exponierte Bereiche des Gesellschaftslebens, die nach Veränderung rufen.

Werkliste von Martin-Aike Almstedt

Bewusstseinsphilosophische Bücher:

Wahrheit und Aufbruch

Es gibt keine Abkürzung - 8 Dialoge

KIYO

Beziehung und Liebe im Spiegel des Kiyo

Eine kleine Philosophie der inneren und äußeren Befreiung

Tod und Liebe - westöstlich gewendet

Die kiyogische Methode der Erkenntnisgewinnung und die westliche Philosophie

Wer rettet den Tod, wer rettet die Liebe, wer rettet die Welt? Westöstliche Wege ins Tiefenbewusstsein am Beispiel von Karl Jaspers und Jiddu Krishnamurti

Liebe und Tod im Spiegel des Kiyo

Herbstvögel über Riuwenthal - Das Buch zum gleichnamigen Film

Die Psychoanalyse, der Surrealismus und die Meditation (Martin-Aike Almstedt und Bernhard Wutka)

Wege zum mystischen Bewusstsein

Arbeit und Geld im Spiegel des Kiyo

Das Eine, das Andere und das Andersandere (Verlag tredition)

Texte und Libretti:

Textbuch zum Opernoratorium „Die Schöpfung"

Libretto zum Requiem „Awun"

Hörbücher

Karl Jaspers und Jiddu Krishnamurti (ca. 8 Stunden)

Das mystische Bewusstsein (ca. 6 Stunden)

Vorträge und Aufsätze (ca. 6 Stunden) u.a. Yoga und Christentum

Zen, Wesen und Bedeutung

Arbeit und Geld

Bemerkungen zur Pädagogik

Dieses Buch als Hörbuch:
Das Eine, das Andere und das Andersandere
(www.martin-aike-almstedt.de)

Bücher zur Musik:

Wort und Werk

Vorworte zu meiner Musik

Grundlagen meiner Musik

Kompendium meiner musikalischen Sprache

Das Quadrupelkonzert „Hülsenblut"

Musik - Eine kleine Ästhetik des Wahren

Das musikalische Schaffen

Entwicklung einer einzigartigen komplexen musikalischen Sprache.

Veröffentlichungen

170 Werke (Partituren) aller Gattungen darunter:

Solowerke

für Orgel (große, zum Teil abendfüllende Konzertstücke aber auch größere wie kleinere Choralvorspiele und -Paraphrasen)

für Flügel (große Konzertstücke und 5 Zyklen verschiedener Schwierigkeitsgrade),

für Klarinette (große und kleinere Konzertstücke in mehreren Bänden)

für Gitarre (Stücke für Gitarre und Vierteltongitarre verschiedener Schwierigkeitsgrade)

Duos

für Klarinette und Klavier für Violine und Klavier für Flügel und Perkussion

Lieder

Du bist mein Spiegel - 30 Lieder auf Liebe und Tod (Text: Alexander Herbrich) Zyklus für Sopran und Klavier u.a. nach Texten von Juan Ramon Jimenez

Lieder für Mezzosopran und Orgel

u.a. *Tagot* und *Der starke Baum* (Text: Lao Tse)

Terzette für Frauenstimmen

u.a. *Sie spielen damit, kein Spiel zu* spielen (Text: „Knoten" von R.D. Laing)

Zwei schreckliche Dinge verschwinden im nullten (Textzusammenstellung: M.A.Almstedt)

Quintette für Frauenstimmen

u.a. *Blume, Baum, Vogel; Schwarzer Schnee; Sonne, Wurzel, Tier*

Kammerkantaten

in verschiedenen Besetzungen (Sopran, Bariton, Violine, Klarinette, Bassklarinette, Konzertakkordeon, Klavier, Percussion)

u.a. *Häftlingslieder*

Bambocciade

Traum vom letzten Menschen

Curicu weiga curu

Chorwerke

u.a. *Aus dem Baumstumpf Isais* für 8 Soprane oder Frauenchor in Sopranbesetzung

Es ist ein Ros entsprungen für 8-stimmig gemischten Chor

Konzerte

Tripelkonzert 1 für Klarinette, E Gitarre Perkussion und Orchester

Sospiri, Tripelkonzert 2 für Klarinette, E Gitarre Perkussion und Orchester

Mane Anem, Konzert für Klarinette und Klarinettenorchester

Hülsenblut, Quadrupelkonzert für Sopran, Gitarre, Klarinette, Perkussion und Orchester

Konzert für Klavier und Orchester

Konzert für Orgel, 30 polygenuine Instrumente und Tierlaute

Orchestermusik

Sawitri für großes Orchester, 30 Keyborde und Perkussion (90 Minuten)

Ouvertüre für Orchester

Oratorien

Der gefundene Mensch, nach der Geschichte vom verlorenen Sohn für Chor Soli, Orchester, Flügel, Klavier, Percussion (abendfüllend)

Sol Dei für Chor, Soli, Blasorchester; Ma Aham für Chor, Orgel, Percussion

Awun Requiem für Chor, Soli, große Orgel und Orchester

Oper

Eisbruch, Herzrot (Kammeroper, abendfüllend)

Intermedialwerke für die Bühne

Die Urschöpfung a) weibliche Version (abendfüllend)

b) männliche Version (abendfüllend)

Der Zorn Gottes oder der Flug zum Mars (abendfüllend)

Tadashi Endo und Yumino Seki in
„Der Zorn Gottes oder der Flug zum Mars"

Musikfilme (DVD)

Herbstvögel über Riuwenthal (Kunstfilm, 120 Minuten)

Die Urschöpfung weibliche Version (Intermediales Bühnen-werk)

Die Urschöpfung männliche Version (Intermediales Bühnen-werk)

Eisbruch, Herzrot (Kammeroper)

Konzertdokufilme (DVD)

Konzert für Flügel und Gongs (Oldenburg)

Konzert für Flügel und Gongs (Zwickau)

Konzert für Flügel und Gongs (Schloss Burgk)

CDs

50 CDs mit Werken Almstedts aus allen Gattungen

Außerdem:

Mehrere abendfüllende Radiosendungen (NDR) u.a. über das 3-tägige Göttinger Almstedt-Festival „Göttinger Portrait-Tage 1990".

Fernsehsendung über die Kammeroper „Eisbruch Herzrot" (Hamburger Regionalsender)

Zweimalige Fernsehausstrahlung des Intermedialwerks Die Ur-schöpfung (MDR) Weihnachten und Silvester 1997.

Aktuell:

Hörerlebnisse im Internet veröffentlicht durch „Klassik resampled" von Steffen Fahl. (www.klassik-resampled.de)

(Allein das „Amen" aus Almstedts Oratorium „Der gefundene Mensch wurde bisher weltweit 60.000mal aufgerufen. Ähnliches gilt für die Veröffentlichung von Almstedts Klarinettenkonzerten mit David Loewus als Solisten und einer Fülle anderer Kompositionen Martin-Aike Almstedts.)

Weitere Informarionen: www.martin-aike-almstedt.de